Gerd Gr

KU-340-980

Teures Deutschland

Was kostet uns die DDR

Rotbuch Verlag

1. Auflage 1990
© 1990 Rotbuch Verlag Berlin
Umschlaggestaltung: Michaela Booth
Gesamtherstellung: Wagner GmbH, Nördlingen
Printed in Germany. Alle Rechte vorbehalten
ISBN 3 88022 037 9

Gerd Grözinger
Teures Deutschland
Rotbuch Taschenbuch 27

3 0116 00365 2318

Aston University
Library & Information Services

Withdrawn from stock and donated
to
The Michael Andrew Olorunfemi
Foundation.

Not for resale

This book is due for return not later than the last date stamped below, unless recalled sooner.

26 OCT 1994
ASTON U.L.

-7 FEB 1995
LONG LOAN

ASTON UNIVERSITY
LIBRARY SERVICES
WITHDRAWN
FROM STOCK

-6 FEB 1996

20 MAY 1991
— 1 PM —
28 MAY 1991
— 1 PM —

Inhalt

Einleitung

Wollt ihr die große Zeit nimmer begreifen,
die sich aufgetan hat vor euren Augen seit den blutigen Tagen
bei Leipzig? Was glaubt ihr denn, daß es dort gegolten habe?
Etwa das edelmännische Jagdwesen wieder in seinem alten Glanze
herzustellen oder die patriarchalisch-fromme Patrimonialgerichts-
barkeit wiederaufzurichten, wie uns ein edler Graf versichert?
Etwa die sogenannte Amtsehre fester zu gründen, daß ihr herrisch
euch über den Bürger und Bauern erheben möget? Etwa um
euch reichliche Besoldungen, fette Diäten und Schreibverdienste,
Neujahrsgeschenke und Kuchengrüße zu verschaffen?
Das ist revolutionär?
Friedrich List, 1819

Der Zug der deutschen Einheit ist endgültig abgefahren. Immer schneller rollte er mit uns allen an Bord dem Zielbahnhof ›Wirtschafts-, Währungs- und Politikunion‹ entgegen, alle Haltesignale und Geschwindigkeitsbegrenzungen mißachtend. Viele auf dem Führungsstand haben mitgeholfen, die Bremsen zu lockern, wenige aus den Waggons vor der abschüssigen Strecke gewarnt. Ferne schien den meisten die Möglichkeit, daß der ganze Zug entgleisen könnte. Die Fahranweisung – hier formuliert vom Institut der deutschen Wirtschaft in seinem Informationsdienst Anfang Juni 1990 – hieß durchstarten: »Nur wenn die *DDR*-Wirtschaft die Produktivitätspeitsche des internationalen Wettbewerbs zu spüren bekommt, ist ihre rasche Sanierung möglich.« Einkalkuliert war dagegen von Anfang an, daß da einiges unter die Räder geraten möchte, wie auch den Passagieren ein offen genannter Fahrpreis recht hoch dünken könnte. Über die Kosten der schnellen Fahrt ließ man sich vor Reiseantritt wenig genau aus, mehr dagegen über die Herrlichkeiten des Ziels. »Von Opfern sollte dabei nicht gesprochen werden, denn es handelt sich um eine Investition in die Zukunft«, riet wieder die deutsche Wirtschaft. Das schien vielen durchaus glaubhaft. Schließlich war erfahrenes Personal im Führungshäuschen, das bereits seit einigen Jahren die internationale Wirtschaftslokomotive Bundesrepublik ordentlich unter Dampf hielt. Tatsächlich aber tat man sich mit dem Rangieren auf den holprigen Strecken des Ostens über die Maßen schwer, und mehr als eine Weiche wurde falsch gestellt. Um nur ein Beispiel anzuführen: Eine besonders erinnerungswerte Meisterleistung war es etwa, zugleich die *DDR*-Landwirtschaft aus den Gleisen springen zu lassen und die im Westen einem Einkommensverfall auszusetzen. Als hätte man noch nie etwas von Spotmärkten vernommen, an denen auch kleine Mengenveränderungen große Preisbewegungen erzeugen können, zwang man die gestrandeten LPGs zu ruinösen Notverkäufen, die nun auch über die Grenze hinaus ihre Wirkung auf den Märkten zeigten.

Der Reservelokführer aus dem Saarland hat vor diesem Wirtschaftskurs früh gewarnt und ist als Bremser der Einheit dafür von den Perrons aus verspottet worden. Aber selbst auf schlingernder Fahrt begriffen – abhängig wohl von den vermeintlichen Zurufen von seiten der Passagierbänke der dritten Klasse –, scheint sein einziges Ziel nicht die Weiterführung der Teilung Deutschlands, sondern der Beginn der Teilung der Führerkabine zu sein. Dafür wird Bereitschaft gezeigt, manchen nützlichen Bremsklotz trotz noch kommender, gefährlicher Abgründe aus dem Weg zu räumen. Das Signal zeigt auf ›große Koalition‹ und wie weiland die Zustimmung zu den Notstandsgesetzen wird diesmal die zu einer Änderung des Asylrechts als möglicher Einstieg benutzt. Ob das Davorspannen einer zweiten Zugmaschine allerdings hilft, den zunehmenden Druck im Kessel wieder fallenzulassen, ist fraglich. Es könnte sich diesmal als noch schlechtere Kalkulation als Ende der 60er Jahre erweisen.
Ihre Lehrzeit als politische Fahrensmänner hatten viele dieser Condukteure noch in den legendären Pioniertagen nach 1945 abgeleistet. Und, verklärt von über vierzig Jahren Zeitdifferenz, dort auch die alten Dienstanweisungen gesucht und aufgefunden. Manche Seiten davon müssen ihnen jedoch in der Eile entfallen sein. Übersehen wurde etwa, daß selbst unter dem populären Konjunktur-Anheizer Ehrhard zahlreiche, damals nichtkonkurrenzfähige Großbetriebe aus Kriegsproduktion und Autarkieversuchen lange noch in Staatsbesitz mitgeschleppt werden mußten, bevor sie nach Jahrzehnten erst dem freien Markt übereignet werden konnten. Im Jahre 1990 dagegen versucht man, sich von ähnlichem Ballast so schnell wie möglich abzukoppeln, um noch mehr Fahrt aufnehmen zu können.
Einen, der mit diesem Fahrplan nicht einverstanden war, hat es darum gleich aus der Kurve getragen. Ausgerechnet der ehemalige Chef der Deutschen Bundesbahn, Gohlke, war mit der Aufgabe betraut worden, das über-

nommene Wirtschafts-Material auf Reisetauglichkeit zu prüfen und zu sortieren. Als Präsident der ›Treuhandanstalt‹, der alle Betriebe im früheren Staatsbesitz der *DDR* übergeben wurden, amtierte er jedoch noch keine anderthalb Monate lang, bevor er für sich die Notbremse zog. Der Mann für die gewissen Wochen nach der Währungsumstellung sollte die über 8000 Kombinate so schnell wie möglich an die westdeutsche Industrie anhängen und konnte doch nur ein gutes Dutzend erfolgreicher Kupplungsversuche vorweisen.

Von der zweiten neuen Institution, dem ›Fonds zur deutschen Einheit‹ mußte noch niemand abspringen, da dieser bisher gar nicht recht unter Dampf gesetzt wurde. Gespeist aus Beiträgen von Bund und Ländern sollen in den nächsten drei bis vier Jahren daraus die nötigen Infrastrukturmaßnahmen der *DDR* finanziert werden, eine vermutlich etwas zu schwere Last für die Zugkraft der bisher vereinbarten 120 Mrd. DM. Wie es mit den grundsätzlichen Möglichkeiten steht – von seiten des Staates direkt oder via Einbeziehung der Unternehmen –, die finanziellen Verpflichtungen der Einheit zu erfüllen, ist Thema des *zweiten* Kapitels. Darin zu finden ist auch ein Verweis auf eine heute gleichfalls vergessene und vielleicht wieder zu nutzende Erfahrung der frühen 50er Jahre, in denen man in ähnlicher ökonomischer Fährnis nicht ohne die zwangsweise Heranziehung der Privatwirtschaft zu einer gesellschaftlich notwendigen Investitionsverteilung auskam.

Noch mehr tangiert denn als Steuerzahler sind die meisten von uns – ob im Osten oder Westen – von der Zukunft ihrer Arbeitschancen. Deren Entwicklungsmöglichkeiten sind Gegenstand des *ersten* Kapitels. Dabei stehen sehr unterschiedliche Probleme an. Während es der einen Seite Deutschlands droht, von einer Welle von Freisetzungen überrollt zu werden, die kaum einen Haushalt auslassen wird, wähnen sich die Bewohner der anderen noch sicher hinter zahlreichen Schranken. Ob Illusion oder nicht, daraus folgt die Notwendigkeit differenzierter Reaktionen der Arbeitsneuverteilung: damit aus dem Zug zur Einheit kein ›Runaway-Train‹ Richtung Westen wird, auf den aufzuspringen Millionen von Erwerbstätigen erneut ihr Heil suchen müßten.

Im *dritten* Kapitel schließlich sind denkbare zukünftige gesellschaftliche Innovationen skizziert, die die *DDR* mittelfristig nach vorne katapultieren sollen. Wer vom alten Anschluß an die ›Transsibirische Eisenbahn‹ umsteigen will auf den westlichen ›EuroCity‹, hat mehr vor sich, als nur die Spurbreite zu wechseln und die anzulegende Spannung in den Kraftleitungen zu erhöhen. Ein ganz neues Verbundnetz wartet dort, das Kommunikation heißt und wo Informationen statt Güter fließen. Und an Stelle alter rußgeschwärzter Bahnhöfe, durch die des Nachts Güterzüge mit Stahl und Kohle rumpeln, sind neue, bunte, kompetent betriebene Service-Center von den Reisenden von morgen gefragt.

Für ein Land der ›nachholenden Tertiärisierung‹, wie es die *DDR* darstellt, bedeutet das einen langen Weg in ungewisse Gefilde. Die Streckenpläne anderer, bereits erfolgreicher Linien einfach zu kopieren, kann – so einleuchtend sich das auch anhört – schnell in die Irre oder gar auf ein totes Gleis führen. Der berühmte Sozialwissenschaftler und Architekt des schwedischen Sozialstaates, Rehn, gab einmal bei einer Tagung in Deutschland ein Gleichnis zum besten: Nach einem verheerenden Theaterbrand mit vielen Opfern wurde eine Untersuchungskommission gebildet, die daraus Lehren für die Zukunft ziehen sollte. Sie stellte fest, daß eine hohe, signifikante und positive Korrelation bestand zwischen der Gruppe der Überlebenden und deren Ausbildung in Karate und ähnlichen Kampftechniken. Die Kommission empfahl darum, daß jedem Theaterbesucher Kurse in dergleichen Sportarten angeboten werden sollten, auf daß bei ähnlichen Vorfällen künftig das Überleben aller möglich sein würde.

Notwendige Unterschiede im Verhalten von Ökonomien, die als erste eine technische oder organisatorische

Entwicklung vollzogen und darin nun stark sind und jenen, die dazustoßen wollen und die Konkurrenz erst überwinden müssen, waren auch das große Thema eines der bedeutendsten deutschen Ökonomen des 19. Jahrhunderts – und zeitweiligen Eisenbahnmanagers –, Friedrich List. Noch heute ist sein Name verbunden mit dem Vorschlag eines ›Erziehungs-Zolls‹, dessen Schutz es dem damals schwach entwickelten Deutschland ermöglichen sollte, gegen die als übermächtig empfundene Konkurrenz Albions zu bestehen und sich dabei zu modernisieren. Einige seiner Aussagen sind zur Erbauung und Belehrung den Kapiteln vorangestellt.
Noch eine andere Sprachregelung muß erwähnt werden. Angemessen wäre gegenüber ›jenem Gebilde‹ *DDR* sicherlich eine differenzierte inhaltliche Kennzeichnung. Vor dem 9. 11. 1989 ist das Land ein anderes und in einem anderen Stadium an Auflösung begriffen wie nach dem 18. 3. 1990 oder dem Tag des Abtritts durch den Beitritt. Aber da die eigentlich seit Monaten passendste Bezeichnung, Bundesrepublik (Ost), mißverstanden werden kann und die Übernahme der ehemaligen Gänsefüßchen des Axel-Springer-Verlags wirklich etwas genant wäre, wird in diesem Text die *Deutsche Demokratische Republik* in allen ihren Aggregatszuständen einfach anders gesetzt: kursiv für kursorisch.
Endlich finden sich als kleine Anregung für kommende Taten auch noch ›Losungen‹ auf den folgenden Seiten. Was in den Schaufenstern, den Werkhallen und an den Mauerwänden während der Zeiten des Sozialismus an Aufmunterndem in der *DDR* zu lesen war, läßt sich bruchlos in die BILD-Sprache Gesamtdeutschlands übertragen. Und dort fruchtbar machen zur Bewältigung der großen Zukunftsaufgaben in bewährter sozialpartnerschaftlicher Weise. Auf daß es in Zukunft wohl heißen wird in neuer konzertierter Aktion:

WIR SIND DAS VOLK –
DIE DEUTSCHE WIRTSCHAFT!

Arbeit

Eine vernünftige Gesetzgebung muß vor allem
die Wohlfahrt der arbeitenden Klassen im Auge haben,
nicht allein weil sie bei weitem die Mehrzahl
der Nation bilden, sondern weil ihr Zustand
auf die Ordnung, Macht und Wohlfahrt
der Nation den größten Einfluß hat.
Staatslexikon: Arbeiter, Arbeitslohn
Friedrich List, 1834

Eines fehlt so auffällig in der Debatte um die Wiederaufarbeitung der *DDR*, daß es schon fast wieder übersehen werden kann: das Problem einer organisierten Neuverteilung von Erwerbs-Arbeit zwischen dem Westen und dem Osten Deutschlands. Daß in der bundesrepublikanischen Öffentlichkeit wenig Neigung besteht, sich mit der ungleichen Verteilung von Erwerbschancen auseinanderzusetzen, verwundert nicht. Über die rein monetäre Dimension des Vereinigungsprozesses läßt sich in Wahlkampfzeiten auch deshalb so vortrefflich nebelwerfend streiten, weil jenseits eines Fußballhonorars mit sechs Nullen rechts von der Zahl das umworbene Publikum seinen Sinn für die Dimensionen zumeist schnell verliert.

So wie die wenigen Opfer eines von einem Schäferhund verursachten Verkehrsunfalls in Südbayern das Interesse bedeutend mehr erregen können als Hunderte oder Tausende Tote einer Naturkatastrophe im Irgendwo, sind auch im Haushalt fehlende Milliarden weniger faßbar und Emotionen aufrührend als ein von den Herren auf den Abgeordneten- und Regierungsbänken nicht mehr erinnerter Spendenscheck über einige zehntausend Mark. Aber wer kann etwa schon auswendig ansagen, wieviel im Jahr eine 1%-Erhöhung der Mehrwertsteuer dem Staat an Einnahmen bedeutete oder welche ›Friedensdividende‹ für jeden Erwerbstätigen eine auch nur 10%-ige Kürzung des offen ausgewiesenen Militärhaushaltes erbrächte? (Für Neugierige: circa 10 Mrd. DM im ersten Fall und 190 DM im zweiten).

Vor diesem Hintergrund unseres notorisch schwachen Zahlenverständnisses nützt die Beschränkung der Auseinandersetzung über das Wie der Vereinigung auf eine reine Geldfrage beiden Bonner Hauptkontrahenten. Über viele Jahre verteilt nur einige Dutzend Milliarden an Ausgaben mehr, das meiste davon gedeckt durch Steuermehreinnahmen, der Rest aus der Wundertüte des Kapitalmarktes gezogen: Diese Vorstellung behagt den gegenüber neuen Steuern äußerst allergisch reagierenden

Koalitionsanhängern im Westen. Und sie gibt gleichzeitig der Sozialdemokratie ein Kampffeld vor, bei dem sie es damit belassen kann, der Regierung ganz berechtigt finanzielle Unseriosität vorzuwerfen, ohne aber in die Verlegenheit zu geraten, eigene, angeblich weitergehende Vorstellungen präzisieren zu müssen.
Verwundern sollte jedoch die relative Stille zu diesem Thema auch in der *DDR*. Ist es allein mit der üblich gewordenen beflissenen Adaption an unser kapitalistisches Wertesystem zu erklären, daß die politischen Kräfte dort ihre Forderung eines ›Teilens, um die Teilung zu überwinden‹ nur im finanziellen Bereich mit einiger Verve vortragen, ein ähnliches Verlangen in bezug auf Arbeitsplätze aber unterließen? Oder glauben diese zumeist erst kürzlich neu-gewendeten Volksvertreter bereits zu wissen, daß ein weiterer Versuch einer Vollbeschäftigungspolitik nur diejenigen schützte, die bisher nicht gerade zu den Leistungsträgern der Republik gehörten, der angestrebten Effizienzsteigerung um jeden Preis also im Wege stehen werden?
Naheliegender ist aber die Interpretation, daß im Westen einfach ein Adressat für solche Forderungen zugunsten der demnächst Werkuntätigen der *DDR* zu fehlen scheint. Schließlich leben wir hier nicht nur in einem der reichsten Länder der Erde, sondern seit langen Jahren zugleich in einer 80-90%-Erwerbs-Gesellschaft. Und in dieser Bundesrepublik fand sich schon bisher keine politische Mehrheit, das offiziell beschäftigungslose Elftel oder gar die darüber hinausreichende statistisch wegkomplettierte ›Stille Reserve‹ wieder in das Erwerbsleben zu integrieren. Weder Nachfrage-, noch Beschäftigungsprogramme, noch gar Vorschläge einer Arbeitsumverteilung via Arbeitszeitsenkung waren in Fachkreisen und Bevölkerung sonderlich populär.
Gekämpft haben – vor allem für das letztere – nur einige Gewerkschaften, erzielt haben sie allerdings trotz aller Mühungen nur einen Achtungserfolg. Der lange, lange Weg in die 35-Stunden-Woche bedeutet bestenfalls eine

Kompensation der beständigen rechnerischen Arbeitsplatzverluste aufgrund des kontinuierlichen technischen Fortschritts, nicht aber eine Verminderung der bestehenden Sockelarbeitslosigkeit. Und auch dieser bescheidene Erfolg mußte noch durchgesetzt werden gegen einen erheblichen Widerstand von vielen Seiten.
Ein Widerstand, der natürlich von seiten der Arbeitgeber angeführt wurde, die eine Einschränkung ihrer Dispositionsfreiheit noch schlechter ertragen als ein Griff nach ihren Gewinnen. Ein Widerstand, der aber auch von politischer Klasse und veröffentlichter Meinung unterstützt wurde, denen kein Rekordüberschuß der Handelsbilanz hoch genug erscheint, um nicht vor den Gefahren der Konkurrenz anderer Länder zu verblassen. Und ein Widerstand selbst von Teilen der Beschäftigten, die ihre lukrativen Überstunden höchst ungern zugunsten einer wenig einträglichen Solidarität aufgeben wollten.

Gesamtdeutsches Aussitzen

Es bleibt hochwahrscheinlich, daß sich im Bereich des Produktionsfaktors Arbeit in der *DDR* – für eine längere erste Zeit – die simple Aussitz-Strategie durchsetzen wird, die einzige, die keine dezidiert politische Entscheidung verlangt. In der Einfachstlösung bedeutet dies, daß nach einem betriebswirtschaftlichen Kalkül unrentabel gewordene Betriebsteile geschlossen werden müßten, ihre Belegschaften unverzüglich zu entlassen wären. Da Wirtschaftswissenschaftler mit Arbeitslosenzahlen von mehreren Millionen rechnen und die Zahl der Berufstätigen etwa 8,5 Mill. beträgt, hätte das ein Anschnellen der Arbeitslosenziffer von praktisch Null auf sehr bald 10-15% zur Folge, um sich dann für einige Zeit sogar auf einem Niveau von 20-30% zu stabilisieren.

Nun sind auch in der neueren Geschichte der Bundesrepublik regionale Arbeitslosenziffern von 10 bis 15% nichts völlig unbekanntes. Aber wir im reichen Westen wurden damit beschwichtigt, dies seien regionale oder strukturelle Probleme, denen andere Gebiete und Branchen mit höheren Beschäftigungschancen gegenüberstünden. Damit könne individuelle Mobilität schon viel bewirken, und staatliche Umstrukturierungs- oder Unterstützungsprogramme täten ihr übriges. Schon diese Argumentation schien in ihrer Wirkung recht erfolgreich, mißt man ihre Überzeugungskraft am Wählerverhalten. Dazu kamen die langjährige Gewöhnung an solche Zustände und eine mähliche Veränderung unserer Wartemuster, so daß in dieser sich entpuppenden halben Freizeitgesellschaft die pure statistische Anwesenheit von Arbeitslosen den Arbeitenden zumindest nicht mehr den Spaß am Leben vergällt.
Wer dagegen in der prä-unitaristischen Phase Deutschlands einmal Gelegenheit hatte, ein größeres und gemischtes geselliges Zusammensein von *DDR*-Bürgern zu beobachten, wird ein allgegenwärtiges Gesprächsthema entdeckt haben, das bei vergleichbaren westlichen Veranstaltungen zumeist diskret umgangen wurde: die jeweilige Arbeitssituation. Es wurde darüber dort mit einer Intensität und Aufmerksamkeit diskutiert, die Westdeutsche höchstens noch für das Thema Urlaubsreisen aufbringen. Arbeitslosigkeit in der *DDR* wird also gleich *dreifach* schlimmer erlebt: Es ist in der individuellen Erfahrungsdimension bisher völlig unbekannt und deshalb besonders furchterregend, es bedeutet für die unwillig Freigesetzten durch die schlechte materielle Absicherung ein schnelleres Heranrücken an die absolute Armutsgrenze, und es trifft durch die hohe Wahrscheinlichkeit einer eigenen Betroffenheit eine ganze Gesellschaft in einem bisher zentralen Bereich ihrer Identität.
Daß hier etwas umschlagen könnte zu einem ›heißen Herbst‹ haben auch die Regierungsgewaltigen in Ost und West gespürt. Und sie haben sich eine Modifikation ihrer

Strategie einfallen lassen, die nicht ohne Pfiff ist: statt Kündigungen für einige soll auf breiter Front Kurzarbeit für viele eingeführt werden. So blieben die Arbeitnehmer wenigstens einen Teil der Woche ordentlich hinter den Fabriktoren, statt sich unkontrollierbar mit Paletten von Billigbieren und Nordhäuser Doppelkorn in Wohnungen, Kneipen und auf Straßen zurückzuziehen und dort vielleicht auf Rache und Randale zu sinnen. Und gelänge es gar noch, den Rest der vierzig Stunden mit Umschulungsmaßnahmen zu füllen – inklusive der Auszahlung von Geldprämien der Bundesanstalt für Arbeit –, könnte in vielen Betrieben der *DDR* weitgehend sogar der Schein einer Normalbeschäftigung gewahrt bleiben, ohne daß allzuviel Überflüssiges, Umweltschädigendes und Nichtabsetzbares produziert werden müßte.
Allein, auch dergleichen summiert sich finanziell. Unterstellt, daß anstatt einer Arbeitslosenquote von 25% die Hälfte der Beschäftigten der *DDR* auf eine 20-Stunden-Woche gesetzt werden, somit die Löhne und Gehälter vom Betrieb zur Hälfte zu tragen sind, die andere Hälfte vom Arbeitsamt zu den üblichen circa zwei Dritteln finanziert wird, kostet die Maßnahme bei zur Zeit etwa anzunehmenden DM 10000 Jahresnettoeinkommen pro Arbeitnehmer den Staat gut 14 Mrd. DM im Jahr. Dazu kommen die Ausgaben für kostspielige Umschulungen und Weiterbildungen, über deren Höhe bisher nicht einmal begründete Schätzungen vorliegen. Im Westen kostet jedenfalls eine solche Maßnahme pro Teilnehmer etwa DM 18000. Dagegen wirken die 2 Mrd. DM für 1990 und die 3 Mrd. DM für 1991 an Zuweisungen, die der *DDR* laut Staatsvertrag für die Anschubfinanzierung einer Arbeitslosenversicherung zuerst zugestanden werden sollten, nur rührend.
Vor allem aber werden die ehemaligen volkseigenen Betriebe bei dieser Camouflage nicht allzulange mitziehen. Kurzarbeit bedeutet für sie sowohl vermehrte Kosten wie eine Erhöhung des innerbetrieblichen Reizklimas. Denn wer als Arbeitnehmer die halbe Woche kurzarbeitet, ver-

liert etwa ein Sechstel seines bisherigen verfügbaren Einkommens, ein herber Verlust angesichts der Preissprünge nach der Währungsunion. Also werden – wie aus der Bundesrepublik bestens bekannt – die jeweiligen Arbeitgeber mit Druck um einen Zuschuß zu den Zahlungen des Arbeitsamtes angegangen werden. In den ersten Tarifverträgen der *DDR* ist schon festgelegt, daß dieser mehr als 20% betragen soll. Ausgerechnet die als kritisch angesehene Größe der Lohnstückkosten wird dadurch erheblich steigen, und da trotz dieser Zahlungen die alte Lohnhöhe nicht vollständig erreicht werden kann, bleibt dennoch ein beständiger Stachel der Unzufriedenheit der solcherart finanziell Knappgehaltenen.

KURZGEHALTEN FÜR DEUTSCHLAND!

Noch wissen die Unternehmen nicht genau, welche ihrer bisherigen Mitarbeiter sie auch in Zukunft benötigen. Darum kommt ihnen – sofern sie sich diese liquiditätsmäßig leisten können – für wenige Monate eine großzügige Kurzarbeiterregelung durchaus gelegen. Aber wenn erst die Joint-venture-Verträge oder Übernahmeverhandlungen mit westlichen Unternehmen in die entscheidende Phase treten, wird man ihnen von deren Seite den verbleibenden Bedarf schon vorlegen. Denn ein Arbeitsmarkt ist in dieser Beziehung ein Markt wie jeder andere, er wirkt als Selektivinstanz, der die Guten zur Verwertung ins Töpfchen bringt, die Schlechten dagegen ans Tröpfchen der Transferzahlungen hängt.
Westdeutsche Investoren werden auf dies anerkannt leistungssteigernde Mittel kaum verzichten wollen. Und da wäre es doch für die Treuhandstelle und die Kombinatsdirektionen geradezu unverständlich, etwas Zukunftsweisendes am Ende scheitern lassen zu sollen, nur weil ein Viertel, ein Drittel oder die Hälfte der bisherigen

Belegschaft sich dabei als überflüssig erweist, ihre betriebliche Elimination aber Vorbedingung von Übernahmen bedeutet. Es ist darum kein Wunder, wenn etwa die letzte Schätzung des Deutschen Instituts für Wirtschaftsforschung schon für den Anfang nach der Währungsunion zwar eine Million Kurzarbeitende prognostiziert, gleich aber auch mit etwa anderthalb Millionen Arbeitslosen rechnet.

Kurzarbeitähnliche Mechanismen der Umverteilung ließen sich natürlich auf noch vielerlei Weisen einführen, und nicht alle hätten den transitorischen Charakter des Originals. Alle Arbeitsplätze könnten etwa in Halbtagsstellen umgewandelt und so lange mit Arbeitssuchenden besetzt werden, bis Arbeitslosigkeit auf diesem Niveau so weit wie möglich verschwunden wäre. Da trotz des Vereinigungshopplahopps sicher vorher nicht die Hälfte des Erwerbspotentials beschäftigungslos war, blieb jetzt noch eine große Menge offener weiterer Halbtagsstellen übrig. Darauf dürften sich wieder alle bewerben.

Wer dann den Zuschlag für eine Zweitbeschäftigung erhält, könnte nach vielen, sich noch auszudenkenden Kriterien ausgeknobelt werden. In gut marktwirtschaftlicher Tradition läge es, dabei auch an einen gespaltenen Steuersatz zu denken, der für die zweite Arbeitsstelle eine höhere Lohnsteuerbelastung vorsähe. Dadurch sinkt die Arbeitsbereitschaft, so daß die sich verknappende Nachfrage mit dem in etwa vorgegebenen Angebot zweiter Stellen zu einer besseren Deckung gebracht werden könnte.

HALBE-HALBE MACHEN FÜR DEUTSCHLAND!

Von Neapel bis Nepal ist das ein scheinbar vertrautes Bild. Um überleben zu können, müssen in zahlreichen ärmeren Ländern dieser Welt zweite oder gar dritte Beschäftigungen angenommen werden. Hier wäre das Prinzip jedoch gerade entgegengesetzt angewandt: Um möglichst vielen eine Teilhabe an der Erwerbsarbeit zu ermöglichen, können nicht alle eine Vollzeitstelle einnehmen, müssen manche auch deshalb mit recht verschiedenen Tätigkeiten zurechtkommen. Denn nicht immer kann die zweite Arbeit sich im gleichen Betrieb befinden oder der gleichen Berufsgruppe angehören. Das alte Marxsche Wort, daß eine zukünftige Gesellschaft vielleicht in einem Wechsel bestehe vom Fischer des Morgens zum Jäger am Mittag und kritischen Kritiker am Abend wäre ausgerechnet hier als Kind des Mangels ein Stück weit in die Tat umgesetzt.

Leider dürfte das realistischste an diesem Bild die Zunahme von kritteligen Kritikern an den Stammtischen sein. Es läßt sich auch ohne allzuviel Phantasie absehen, daß sich beim Verteilungsschlüssel für die Zweitstellen ein traditionell-familienorientiertes Muster mit paternalistischen Vorgaben durchsetzen würde, nicht jedoch ein marktkonformer Mechanismus. Verheiratete bekämen wohl die Auflage, zusammen nicht mehr als maximal drei Halbtagsstellen auszufüllen, alleinerziehende Mütter würden wahrscheinlich auf nur eine beschränkt. Kurz, es hätte etwas von einem Wunder an sich, wenn nicht unter der Hand diesem progressiv schimmernden Stamm eine konservative Variante aufgepfropft werden würde mit den entsprechend bitteren Früchten.

Das Solidaropfer der deutschen Frau

Kaum mehr Phantasie bedarf es, sich auszumalen, wen die großen Kündigungswellen der Jahre 1990/91 besonders treffen werden: die Frauen. Sie sind eine Gruppe, die in allen ihren Kennzeichen für eine ausgesprochen diskriminierende Strategie einfach prädestiniert ist. Denn *erstens* stellen die weiblichen Beschäftigten in der *DDR* einen so erheblichen Anteil der Erwerbstätigen, daß dieses Reservoir auch einem abzusehenden Groß-Abspekken bei den Erwerbstätigen genügen könnte. Fast die Hälfte aller gegen Lohn Arbeitenden ist hier weiblich, eine im internationalen Vergleich ungewöhnlich hohe Ziffer.
Während in der Bundesrepublik jede zweite Frau im sogenannten erwerbsfähigen Alter zwischen 15 und 60 beziehungsweise 65 Jahren arbeitet, trifft dieses Merkmal in der *DDR* auf etwa fünf von sechs weiblichen Personen zu. Und diese sind dann noch viel weniger als im Westen unter Teilzeitbedingungen beschäftigt, wie ein Vergleich des Deutschen Instituts für Wirtschaftsforschung zwischen Ost und West ergab: nämlich etwa ein Viertel gegenüber 40%. Und selbst bei jener Minderheit, mit der nicht die volle Leistungszeit vereinbart ist, liegt der Schwerpunkt der Vereinbarungen in den dreißiger Wochenstunden statt wie hier unterhalb der Grenze von zwanzig Stunden, die auch die nicht-sozialversicherungspflichtigen Tätigkeiten einschließt.
Gelänge es, die Frauen der *DDR* auch auf das Maß der in der BRD üblichen Erwerbsquote herunterzubringen, wären schon etwa 11% der bisher dort von beiden Geschlechtern geleisteten Arbeitsstunden abgebaut. Und würden die dann in ihrer Stundenverteilung noch ein ähnliches Teilzeitverhalten zeigen wie hier üblich, stiege diese Zahl sogar auf beachtliche 16% des alten Arbeitsvolumens. Die auch in der Bundesrepublik seit langem üblichen circa 8% stillschweigend akzeptierter Arbeitslosigkeit noch hinzuaddiert, ergäbe dies dann die allseits ver-

mutete Quote von gut einem Viertel aktuell bedrohter Arbeitsplätze im Osten Deutschlands. Man sollte übrigens nicht glauben, daß für eine solche Reversibilität weiblicher Erwerbsbeteiligung keine historischen Beispiele anzuführen wären. Noch nach jedem Weltenkrieg sind die millionenweise in die Produktion geschaufelten Frauen auch massenweise wieder herausgedrängt worden, wenn die männliche Konkurrenz erneut ihre Stammplätze beanspruchte.

Daß dies auch technisch nicht unmöglich erscheint, dafür sorgt ein dickes *Zweitens*. Die *DDR*-Frauen konzentrieren sich nämlich auf wenige Berufe und Branchen, die – wie es eine sehr visible Hand so gefügt haben wird – zumeist zu jetzt als stark überbesetzt angesehenen Arbeitsbereichen gehören. Frauen dominieren zum Beispiel eindeutig das Sozialwesen, das Gesundheits- und Bildungswesen, den Handel. Entsprechend weniger sind es in der Industrie, und dort wie auch im aufgeblähten staatlichen Sektor dürften es wieder besonders die einfacheren verwaltenden Tätigkeiten sein, die weiblich besetzt wurden. Diese Trennung wurde bis in die jüngste Zeit hinein prolongiert. So sind nach den letztvorliegenden Zahlen etwa die Facharbeiterprüfung der Berufe aus Wirtschaft/ Verwaltung zu 88% durch Frauen bestimmt, bei denen von Handel/Gastronomie/Dienstleistungen zu 81%.

Dagegen sind zum Beispiel bei einer Facharbeiterlehre in der industriellen Schlüsselbranche Maschinenbau nur zu 10% weibliche Auszubildende zu finden. Ähnliches gilt für andere zukunftsträchtige Gewerbebereiche. Und brechen sie schon einmal in männlich definierte Sphären der Produktion ein, sind es auch noch prompt die falschen Sparten. In den schon demnächst kaum mehr konkurrenzfähigen Feldern Chemie/Textil/Bekleidung werden wieder zu 84% Frauen ausgebildet.

Die einseitige Verteilung führte dazu, daß auch Lohndifferenzen über die Jahre festgeschrieben werden konnten und selbst bei gleicher Arbeitszeit der Unterschied im Verdienst durchschnittlich 25% betrug – zugunsten der

Männer versteht sich. Es dürfte also klar sein, wer im allgemeinen Verständnis zu gehen hat, wenn etwa anhand eines üblichen Familienbudgets von einer Direktion über Kündigungen entschieden wird. So zitierte der ›Spiegel‹ einen LPG-Vorsitzenden, dessen Kündigungswelle von mehr als der Hälfte seiner bisherigen Belegschaft nach seinen Aussagen erst die Alkoholiker und dann die Ehefrauen der Genossenschaft erfaßte, mit »Nur einer in der Familie kann heutzutage noch mit Arbeit rechnen.« Ein anderes Indiz dafür, daß der Verteilungskampf zwischen den Geschlechtern schon im schönsten Gange ist, war der sommerliche Beschluß der Regierung de Maizière, einen Zuschuß zum Kindergeld für diejenigen Ehepaare zu gewähren, bei denen nicht beide berufstätig sind. Gottlob allerdings sind in Ostberlin die Kassen leer, und es wurden bisher nur DM 25 im Monat ausgelobt.

Allerdings gibt es noch subtilere und zugleich erfolgversprechendere Mittel. Denn daß überhaupt die weibliche Erwerbsbeteiligung in der *DDR* diese hohen Werte annehmen konnte, ist vor allem der bekannten flächendekkenden Versorgung mit Krippen und Horten zu verdanken. Mehr als 9 von 10 Kinder im Kindergartenalter waren darin bisher untergebracht und mehr als 8 von 10 Schülern der ersten vier Klassen. Und damit ist auch der *dritte* Grund genannt, warum bei weiblichen Erwerbstätigen die meisten Auflösungen von Arbeitsverträgen zu erwarten sind. Denn ohne diese Institutionen und gesetzlichen Regelungen – wie besonders die Freistellung zur Betreuung kranker Kinder – fällt für viele Frauen ganz simpel und technisch gedacht die Möglichkeit fort, weiter im gewohnten Umfang zu arbeiten. Wenn Stadtverwaltungen oder vor allem die häufig die Trägerschaft verantwortenden Großbetriebe diese bisher kostenlosen Dienste einschränken, abschaffen oder auch nur kräftig verteuern – aus purer finanzieller Not, wie sicher argumentiert wird –, dürften sie mit einer Welle von Kündigungen von seiten der Frauen belohnt werden.

Ganz so unwillkommen wird diese Entwicklung nicht

jeder sein. Denn von weiblicher Seite hat es in der *DDR* auch vor der Wende Kritik an diesem Quasi-Zwang zur Vollerwerbstätigkeit gegeben. Die seit langem über das Angebot hinausgehende Nachfrage von Frauen nach verstärkter Teilzeitbeschäftigung wurde administrativ abgeblockt, obwohl schon damals Umfragen vorlagen, daß die mit ungefähr noch einmal mit vierzig Stunden pro Woche anzusetzende Hausarbeit in einer Durchschnittsfamilie weiter zu drei Vierteln an ihnen hängen blieb. Und auch die rigide sozialistische Menschenerziehung in den Kinderbewahranstalten der *DDR* war sicher nicht jederfraus Sache.
In dieser Ambivalenz gegenüber den neuen Tendenzen der Ausgrenzung darf man das *vierte* Argument sehen, warum hier mit einer schwächlichen Widerstandslinie gegen die Opferung auf dem Altar der Marktwirtschaft zu rechnen ist. Viele Frauen in der *DDR* wären es anscheinend nicht unzufrieden, wenn sie mit etwas finanzieller Kompensation und der Möglichkeit gelegentlicher Zusatzverdienste sich von der dauerhaften Erwerbsarbeit zurückziehen könnten. Für eine gemeinsame Alltagskultur dürften daraus die allerhübschesten Amalgame erwachsen, wenn etwa die durch die Mangelwirtschaft in der *DDR* lebendig erhaltenen Fähigkeiten der häuslichen Produktion sich verbinden mit dem Import unserer post-post-modernen Sehnsucht nach dem Einfachen und Selbstgestalteten. Wenn also ›Öko-Test‹ und ›Müttermanifest‹ demnächst auch Einzug halten in den Haushalten drüben und das gewöhnlich den Frauen obliegende arbeitsintensive moderne Statussymbol selbstgewachster Holzfußböden in edlen Wettlauf tritt mit dem neuangefachten altmännlichen Drang zur Verlegung hochfloriger Teppichböden.
Und selbst am Familieneinkommen läßt sich mit der dank einer Entlassung gewonnenen Zeit schließlich auch ohne neuerlichen Marktzutritt arbeiten. Nicht nur die im gesamten Ostblock immer schon heißbegehrten Burdaschen Schnittmusterbögen, sondern auch Samenkataloge

dürften alsbald verstärkt die ehemalige Grenze passieren. Denn auch die Kleingärtner wollen es zusammenwachsen sehen, und so manche Datsche samt üppigem Garten erweist sich nach der Umrüstung mit verseuchungsresistentem Pflanzenmaterial als tauglich für einen Autarkieversuch, der diesen Wirtschaftskrieg West gegen Ost zu überstehen verhilft.

EINGEMACHT FÜR DEUTSCHLAND

Übrigens muß das nicht einmal mit einem eindeutigen Machtverlust der Frauen innerhalb ihrer Familien einhergehen. Sie könnten als Gegenleistung für ihre Bereitschaft zum Rückzug in das Häusliche ja die formale Absicherung ihrer Position dort einfordern. Ökonomisch würde jede Ehe dann als eine Verbindung zweier erwachsener Menschen definiert, in der arbeitsteilig, aber zu prinzipiell als gleich verstandenen Anteilen die gemeinsame Reproduktion organisiert wird. Typischerweise übernimmt dabei eine Partei vollständig die häuslichen Dienstleistungen und für den Selbstverbrauch bestimmte mögliche Eigenproduktion, die andere verschafft sich das notwendige Fremd-Einkommen in marktgängiger Münze.

Da dadurch jedoch nur einer der beiden direkt über das Geld verfügt und dieses in unserer Gesellschaft die unverzichtbare persönliche Freiheitsdimension beinhaltet, muß nachträglich eine Aufteilung der monetären Ressourcen auf die beiden in ihrer Leistung als gleichberechtigt angesehenen Partner organisiert werden. Der Staat könnte sich für die ordnungsgemäße Durchführung davon verantwortlich erklären. Und es gäbe auch eine sehr einfache Lösung dafür, wenn nämlich alle abhängig Beschäftigten mit der Eintragung ›verheiratet‹ auf ihrer Lohnsteuerkarte nur die Hälfte ihres Gehaltes, Lohnes

oder auch Arbeitslosengeldes ausgezahlt bekämen, die andere Hälfte dem jeweiligen Gespons auf ein gesondert einzurichtendes zweites Konto zu überweisen wäre.
Bei Selbständigen würde entsprechende Abschläge und Umbuchungen das Finanzamt vornehmen, ähnlich dem System heutiger Steuervorauszahlungen. Das unabhängige Überweisen an Mann und Frau erleichterte nicht nur bei Trennungen das Überleben der ohne direktes eigenes Einkommen Belassenen, es würde vor allem die möglicherweise als gesellschaftlich notwendig interpretierte und doch als persönliches Opfer empfundene neue Rolle in einen unerwarteten Statusgewinn verwandeln helfen: ›Sie‹ hat an Zeitdisponibilität gewonnen, ohne sich doch in vollständige finanzielle Abhängigkeit begeben zu müssen.

GETRENNT VERANLAGT
FÜR DEUTSCHLAND!

Trotzdem weitgehend ausgeschlossen von der Sinnerfüllung durch derlei idyllische Perspektiven mit Heim und Hof werden sich jedoch vor allem zwei bedeutende Gruppen fühlen: die hochqualifizierten Frauen und die alleinlebenden mit Kindern. Die *DDR*-Politik hat sich bei beiden redlich bemuht, hier ihre Quote zu erfüllen – wobei sicher nur die ersteren Ergebnis einer gezielten Planerfüllung waren. An ihren Hochschulen sind gegenwärtig 50% der Studierenden weiblich, an den sogenannten Fachschulen sogar 70%. In der Bundesrepublik beläuft sich die Gesamtanteilsziffer bei Universitäten, Gesamt- und Fachhochschulen dagegen auf einen Wert von noch unter 40%.
Es steht nicht zu erwarten, daß das Beispiel der LPGs – wo alle Erwachsenen eines Haushaltes oft zusammen im einzigen Betrieb des Ortes beschäftigt waren – problemlos auf die gesamte Wirtschaftsstruktur zu übertragen ist

und einfach immer leicht die Frauen zu entlassen sind. Anderswo arbeiten Verheiratete in verschiedenen Unternehmen oder Institutionen, und nicht selten sind die Männer die formal weniger qualifizierteren. Das stellte die Betriebsleitungen bei anstehenden Entlassungsaktionen dann vor das pikante Problem, in der Kriteriensuche häufig zwischen Geschlecht und Ausbildungsgrad entscheiden zu sollen.
Um sich den damit verbundenen konfligierenden Forderungen zu entziehen, wird von Seite der Unternehmer sicher nach staatlichen Vorgaben gerufen werden, etwa einer Verordnung zur Behandlung von Mehrfachverdienern in einer Familie. Da aber die *DDR*-Politik mittlerweile direkt von Bonn bestimmt wird, werden drastische Schritte erst nach der anstehenden Bundestagswahl möglich sein. Denn mit Familien-Rezepten aus den fünfziger Jahren ist in der Bundesrepublik bei Wählerinnen kein Stich mehr zu machen.
Gefährlich wird jedoch die Zeit danach. Im Vertrauen auf die kurzen Gedächtnisse von Souverain und Souvereine, die bei der Stimmabgabe alle vier Jahre die Ereignisse zu Beginn der Legislaturperiode kaum mehr berücksichtigen, könnte sich eine im Amt bestätigte konservative Regierung ermutigt sehen, mithilfe des in der *DDR* viel traditionsgebundeneren Rollenverständnisses einen Tabula-Rasa-Versuch – etwa in Gestalt eines ausgelobten Erziehungsgeldes bei gleichzeitiger Höherbesteuerung von Doppelverdienern – gleich auch gesamtdeutsch zu wagen.
Allerdings machen leere Kassen wie auch die bisher geäußerte Angst der westlichen Wirtschaft vor möglicher Arbeitskräfteknappheit in den späten neunziger Jahren spektakuläre Aktionen nicht sehr wahrscheinlich. Denn selbst ein aktuell allzu forciertes Herausdrängen der Frauen aus der Erwerbsarbeit kann für den zukünftigen Sozialetat der nicht mehr existierenden *DDR* schnell teuer werden, der erstaunlichen Zahl der Alleinerziehenden wegen: überwiegend Frauen, wie man vermuten

darf. Zwar liegt die Scheidungsquote – bezogen auf die Zahl der Eheschließungen – mit 36% gegenüber 34% nur unerheblich über der bundesrepublikanischen, und geheiratet wird sogar häufiger als im Westen. Aber bei den Geburten gibt es plötzlich ein ganz anderes Bild.

KINDER-HORTEN FÜR DEUTSCHLAND!

Während in der Bundesrepublik trotz langwieriger kulturrevolutionärer Anstrengungen weniger als jedes zehnte Neugeborene in der Statistik als ›nicht-ehelich‹ firmiert, ist die *DDR* still und leise bei einem satten Drittel angelangt. Wieviele Haushalte heute eine reine Mutter-Kind(er)-Struktur aufweisen, verrät die *DDR*-Statistik nicht genau. Aber schon Anfang der achtziger Jahre hatten Einelternfamilien einen Anteil an den insgesamt 6,5 Millionen Haushalten von über 11%, das bedeutet mehr als das Doppelte der damaligen bundesrepublikanischen Vergleichszahl. Und da – mit steigender Tendenz – in der letzten Dekade etwa eine dreiviertel Million Kinder in der *DDR* von nicht-verheirateten Frauen geboren wurden, dürfte dieser Wert noch um einiges zugenommen haben. Weil weiter von der Unterhaltszahlungsmoral der *DDR*-Männer – soweit vorhanden und dazu verpflichtet – nach den Erfahrungen mit zahlreichen alimentenflüchtigen Umsiedlern recht wenig zu halten ist und weil dazu die eigene Erwerbstätigkeit für Frauen auch nach Scheidungen bisher selbstverständlich war, blieben die meisten dieser Haushalte bei Wegfall aller Arbeitsmöglichkeiten nun auf die Subsidarität der öffentlichen Hände verwiesen. Da rechnete sich vielleicht doch wieder der Erhalt der Horte und der Verzicht auf eine staatlich vorangetriebene diskriminierende Kündigungspolitik.

Deutsche Arbeitsnorm

Wer die Lösung einer erneut geschlechtsspezifischen Zuweisung der knappen Ressource Erwerbsarbeit von vornherein für ebenso unverantwortlich und degoutant hält wie auch das tatenlose Hinnehmen einer hohen zweistelligen allgemeinen Arbeitslosenziffer, der muß seinen Blick zuerst auf den westlichen Teil Deutschlands richten, dorthin, wo die Wirtschaft nach Jahren des Aufschwungs immer noch boomt, und dies jetzt nicht zuletzt auch aufgrund der zusätzlichen Nachfrage aus der *DDR*. Auf fast schon wirtschaftswunderhafte 3,75% wurde bereits im Frühjahrsgutachten der wirtschaftswissenschaftlichen Forschungsinstitute das Wachstum der bundesrepublikanischen Ökonomie für 1990 sowie 1991 geschätzt, nicht weniger als 1,5% sollten davon der Kaufkraft des Ostens zu verdanken sein.
Nach dem mit der Währungsunion hereingebrochenen Fiasko der *DDR*-eigenen Produktion ist die Ausgabe der für Westwaren abfließenden Mittel noch einmal gehörig nach oben zu korrigieren. Wenn aber erst die künstlich erzeugten Sparguthaben in DM abgefrühstückt sind, dann bedeutet jedes zusätzliche Wachstumsprozent, das hier aufgrund östlicher Nachfrage entsteht, eine Abnahme der Wirtschaftsleistung dort in Höhe von – je nach Einschätzung der Produktivitätsdifferenz – grob gerechneten 10%. Um ein dadurch drohendes weiteres Auseinanderdriften der beiden Teile des zukünftigen Einheitsstaates zu verhindern, muß es gelingen, im geschäftig summenden Westen die Arbeitsmenge zu beschneiden und einiges davon in Form neuer Jobs über die Elbe hinweg zu transportieren. Und wenn dabei ein Verdrängungsprozeß einzelner gefährdeter Gruppen, wie vor allem ausländischer Arbeitskräfte, tabu sein soll, bleibt nur noch ein Instrument übrig: eine größere allgemeine Arbeitszeitverkürzung.
Denn soviel konnten schon die bisherigen Erfahrungen, vor allem der Tarifrunde 1984, an Klarheit bringen: eine

Beschäftigungswirkung durch Herabsetzung der üblichen Arbeitszeit wird von keiner Seite mehr bestritten. Disputiert wird nur noch das Ausmaß des Sickerverlustes, der durch damit verbundene Intensivierungs- und Produktivitätssteigerungen einhergeht. Von Arbeitgeberseite wurden da gut zwei Drittel errechnet, andere Institutionen nennen je nach Untersuchungszeitraum und -branche etwa ein Viertel bis die Hälfte. Mit der Annahme von 50% Wirksamkeit wäre man also auf der weitgehend sicheren Seite von Schätzungen, was bedeutet, daß eine Zeitreduktion um – zum Beispiel – 10% eine Steigerung der Nachfrage nach Arbeitskräften um 5% provozierte.

Ein solcher Zugriff auf das bisher für geschützt gehaltenen Gehege der eigenen Arbeitsbedingungen bringt für westdeutsche Arbeitnehmer durchaus nicht nur Kalamitäten mit sich. Sondern in einem solchen Handeln ist auch das langfristige eigene Interesse mitbedacht. Denn es wäre illusorisch anzunehmen, das mit der Vereinigung kreierte System kommunizierender Röhren auf das Fließen und Mischen von Geld und Waren beschränken zu können, beim Produktionsfaktor Arbeit aber weiter darauf vertrauen zu dürfen, daß Niveauunterschiede in Arbeitsbedingungen und Bezahlung sich erst mählich einebnen werden.

Zwar ist mit dem Ende des Notaufnahmeverfahrens der Mobilitätsbonus für die Wanderung von einem Niedrig- in ein Spitzenlohnland drastisch eingeschränkt worden. Nun müssen sich alle Übersiedler selbst um Arbeit und Unterkunft kümmern – ohne weitere westliche Zuweisungen und Subventionierung bei einem Grenzwechsel. Aber bei einer anhaltenden Arbeitslosigkeit werden viele junge, vergleichsweise gutausgebildete Facharbeiter, Techniker, Ingenieure nicht mehr in der *DDR* zu halten sein. Dank ihres Alters sind sie meist ohne Bindungen an eigene vier Wände und dank der bald einsetzenden westlichen Spekulationswelle mit Grund und Boden der *DDR* auch ohne größere Hoffnungen auf den baldigen

Erwerb daran. Bei ihnen wird sehr schnell die Einsicht wachsen, daß ein längeres Warten auf eine Arbeitsstelle, die dann noch eventuell bloß mit der Hälfte oder zwei Dritteln des Westniveaus bezahlt wird, unnötig ist, wenn mit etwas Eigeninitiative auch eine Stelle im Westen organisiert werden kann. Das lohnt sich allemal, selbst wenn das ortsübliche Lohnniveau dabei unterschritten wird.

Natürlich sind dabei diverse Tarifverträge und Betriebsvereinbarungen zu beachten, so daß damit weniger ein Dammbruch, sondern eher ein stetiges Einsickern und Aushöhlen alter Rechtsformationen assoziiert werden darf. Aber ganz so sicher sollten sich die hiesigen Gewerkschaften und Betriebsräte ihrer Machtpositionen nicht fühlen. Zeitfirmen sind zum Beispiel ein wunderbares Einfallstor für dergleichen Wanderungsbewegungen. Betriebe können dadurch einzelne eigene Abteilungen schließen und deren Arbeit kostengünstiger von aus der *DDR* stammenden Leiharbeitern verrichten lassen, wobei deren direkte Arbeitgeber sich wiederum gewöhnlich keinem Tarifvertrag unterworfen haben. Eine freiwillig betriebene Beschränkung der eigenen Arbeitsmenge, mit dem Ziel der Begrenzung der Arbeitslosigkeit in BRD und *DDR,* scheint da von seiten der West-Arbeitnehmer die klügere Strategie.

Bei den Arbeitgebern wird man dafür verständlicherweise keine Verbündeten gewinnen, es bliebe für eine schnelle Aktion also nur die politische Regulation. Wenn in der Bundesrepublik die Arbeitszeit so dramatisch verkürzt werden soll, daß daraus ein baldiger Strom der Verlagerung von Arbeitsplätzen in Richtung *DDR* entsteht, dann muß als einfachste, radikalste und vor allem von seiten der Politik durchsetzbare Lösung ein ganz neues ›Arbeitszeitgesetz‹ her. Daß dafür ein Bedarf besteht, ist übrigens schon seit langem weitgehend anerkannt. Die bis heute geltende Arbeitszeitordnung stammt schließlich noch aus dem Jahr 1938, was sich nicht nur im Sprachduktus zeigt, sondern auch in der Festlegung von an der Steigerung von Produktion orientierten Zeitrahmen. Aller Fortschritt der letzten fünfzig Jahre zugunsten der Beschäftigten ist dagegen in den einzelnen Tarifvereinbarungen zu finden. Die branchenübergreifend für alle Arbeitnehmer gültige Arbeitszeitordnung greift nun weitgehend ins Leere, obwohl wichtige wirtschaftspolitische Weichenstellungen darin enthalten sein sollten. Also hat selbst die Bundesregierung schon vor einiger Zeit einen Gesetzentwurf zur Neuordnung vorgelegt, dazu jeweils auch GRÜNE und SPD. Keiner der Vorschläge ist bisher jedoch verabschiedet worden.

Für eine Bekämpfung von Arbeitslosigkeit geben alle drei nicht viel her. Die CDU/FDP-Regierung will – bei ihrer politischen Zusammensetzung nicht unvermutet – als mögliche Normobergrenze 48 Wochenarbeitsstunden weiter festschreiben, die anderen verlangen jeweils 40 Stunden. Da wir tarifpolitisch beide Schranken schon durchbrochen haben, nützt für eine allgemeine Reduktion der Arbeitszeit das eine so wenig wie das andere. Sicher etwas besser sieht es mit den von den GRÜNEN oder der SPD vorgeschlagenen Regelungen zu Überstunden, zur Schicht- und zur Wochenendarbeit aus, die ebenfalls einschränkenden Charakter tragen.

Da die westdeutschen Gewerkschaften schon seit einem Jahrzehnt die Senkung der Wochenarbeitszeit zu ihrer Forderungsvariante erhoben haben und auch schon erste praktische Erfolge darin erzielten, könnte eine politisch durchzusetzende weitere Arbeitszeitverkürzung zuerst diesem Gleis folgen. Dazu ist in der Bundesrepublik schon viel Aufklärungsarbeit geleistet worden, auf die in der Debatte zurückgegriffen werden kann. Später wird allerdings für die *DDR* eine methodische Alternative vorgestellt, die auch einmal Anwendung im Westen finden könnte, so daß dann für Arbeitnehmer eine Wahlmöglichkeit mehrerer Kombinationen von Arbeits- und Freizeit entstehen könnte.

Die Regel-Arbeitszeit, wie sie in Tarifverträgen vereinbart ist, schwankt in der Bundesrepublik zur Zeit je nach

Branche etwa zwischen 37 und 39 Stunden pro Woche. Eine weitere Verkürzung bis hin zur 35-Stunden-Woche ist in einigen neueren Abkommen beschlossen, allerdings mit Durchführungszeiträumen bis in die zweite Hälfte der neunziger Jahre versehen. Durch diese lange Frist dürfte wenig zusätzliche Arbeitsnachfrage initiiert sein. Es langt selbst bei der sich als Avantgarde verstehenden IG Metall wohl wieder einmal gerade dazu, den technischen Fortschritt – die kontinuierlichen Produktivitätssteigerungen – zu kompensieren, also eigentlich zu erwartende Entlassungen zu verhindern.

Dazu kommt: die durchschnittliche reale Arbeitszeit pro Beschäftigtem liegt noch um einiges höher als die tarifliche Festlegung. Für die Diskrepanz sorgen einmal Überstunden, wie sie in Zeiten der jetzt geltenden Hochkonjunktur massenhaft anfallen, da Unternehmer es erfahrungsgemäß vorziehen, eine eingearbeitete Belegschaft länger arbeiten zu lassen als Neueinstellungen vorzunehmen. Und die Beschäftigten stimmen dem zu, es lockt das durch die Zuschläge attraktive Zusatzeinkommen. Zum anderen ist es jedem Arbeitnehmer bisher unbenommen, einen persönlichen Arbeitsvertrag mit einer höheren Wochenarbeitszeit als im Tarifvertrag festgelegt zu vereinbaren. Denn die Rechtsprechung der Arbeitsgerichte geht vom ›Günstigkeits‹-Prinzip aus, das besagt, daß individuell bessere Konditionen immer erlaubt sein müssen. Und da mehr Stunden auch mehr Einkommen bedeuten, wird eine längere Arbeitszeit ebenfalls als für die Arbeitnehmer ›günstiger‹ interpretiert. Eine erhebliche quantitative Bedeutung hat das vor allem im gewerkschaftlich unterrepräsentierten Angestelltensegment von Industriebetrieben, das daher von Tarifverträgen nur ungenügend erfaßt ist und wo somit weniger Normierungsdruck innerhalb der Kollegenschaft als in den Maschinenhallen besteht.

Schon damit wird deutlich, daß Arbeitszeit- und Entlohnungsfragen ein recht komplexes Geflecht vielfältiger und oft gegensätzlicher Interessen bilden, so daß es wenig sinnvoll scheint, dafür eine ›one-fits-all‹-Lösung anzubieten. Ein tragfähiger Kompromiß könnte aber darin bestehen, in einem neuen Arbeitszeitgesetz eine starke Senkung der Wochenarbeitszeit auf einen Wert unterhalb der gegenwärtigen Tarifvereinbarungen festzulegen, gleichzeitig aber die Möglichkeit von darüber hinausgehender Mehrarbeit nicht zu eng zu fassen, diese jedoch auch wieder stark zu verteuern, um ihre Bedeutung zu begrenzen.

MEHR FREIE ZEIT FÜR DEUTSCHE LEISTUNG!

Versuchen wir einen praktischen Entwurf. Zuerst bedarf es dazu einer Definition einer ›Normalarbeitsbeschäftigung‹. Diese könnte ihren Kern darin finden, daß etwa maximal 32 Wochenarbeitsstunden vorgegeben werden, die von montags bis freitags in den Grenzen eines Zeitrahmens von jeweils 7^{00} bis 19^{00} abzuleisten sind. Die binnen eines Monats oder vielleicht auch zweier Monate darüber hinaus erbrachten Arbeitsleistungen sollen als Überstunden gelten, die mit einem Zuschlag von 100% auf den Grundlohn zu versehen sind. Das wäre erheblich mehr als heute im Durchschnitt gezahlt wird, und wo ein Mehrverdienst von 25% bei Überstunden als guter Richtwert gilt.
Die damit für den Arbeitgeber provozierte Verteuerung der Stunden jenseits der 32 regulären Einheiten muß jedoch nicht völlig als zusätzlicher und unerwünschter Anreiz auf der Seite der Beschäftigten wieder auftauchen. Denn sind Überstundenzuschläge normal zu versteuern, kühlt die Bereitschaft zu ihrer Ableistung schon erheblich ab. Es versteht sich, daß darüber hinaus Überstunden weiter zu den zustimmungspflichtigen Belangen des Betriebsrates zu zählen sind, eine zusätzliche Schranke gegenüber dem reinen Verdienstinteresse einzelner.
Vollständig versteuert werden sollten auch die bisher

weitgehend steuerbefreiten Zuschläge für Nacht- und Wochenendarbeit. Die sind heute in ihrer Höhe gesetzlich nicht geregelt und schwanken je nach Branche heftig. Im Durchschnitt scheinen die Sonntagszuschläge sich bei nur gut 60% zu bewegen – mit teilweise erheblich mehr allerdings an herausragenden Feiertagen –, an üblichen Zulagen für Nachtarbeit wurden Werte zwischen knapp 20 und 80% ermittelt. Hier sollte ein neues Arbeitszeitgesetz erheblich aufstocken. Denn Schicht-, Wochenend- und Feiertagsarbeit muß so teuer gemacht werden, daß dort, wo der Produktions- oder Dienstleistungsprozeß es nicht unbedingt verlangt, ihre Erweiterung aus rein ökonomischen Gründen so uninteressant wie möglich wird.

Wo solche Tätigkeiten jedoch notwendig sind, sollte dafür besonders gut verdient werden. Die vor allem im Gefolge der Tarifauseinandersetzungen der letzten Jahre schon häufig vorgebrachten Argumente gegen die Ausdehnung der Sonntags- und auch der Samstagsarbeit gelten nämlich unabhängig davon, ob die hierbei fürsorglich Betrachteten nun Chips herstellen, Möbel verkaufen oder Kranke zu pflegen haben. Und daß Nachtarbeit ebenfalls für niemanden gesundheitsfördernd ist, wird von keiner Seite mehr bestritten. Nach unseren sozialen und biologischen Rhythmen wäre es dazu vernünftig, hier noch einmal zwischen Abend- und Nachtarbeit zu unterscheiden, so daß etwa für Tätigkeiten zwischen 19 und 24 Uhr unter der Woche ein Zuschlag von 100% seitens der Arbeitgeber zu zahlen wäre, in der verbleibenden, die Arbeitenden stark belastenden Spanne zwischen 24 und 7 Uhr der Zuschlag auch 200% betragen dürfte.

Der gesamte Samstag sollte dazu nicht mehr als Werktag betrachtet werden, wie heute noch im Gesetz und auf Zugfahrplänen zu finden ist, geschweige denn wieder als Normalarbeitstag firmieren, wie es die Arbeitgeber fordern, sondern in seiner Sonderposition dadurch gekennzeichnet sein, daß Arbeiten hier in der Zeit von 7 bis 24 Uhr durchgängig gleich mit 100% Zuschlag zu versehen sind. Arbeiten am noch höher zu bewertenden Sonntag könnten entsprechend in der gleichen Zeit mit 200% Aufgeld angesetzt werden. Und wer Samstag- oder Sonntagnacht sich zu schaffen machen muß, denen sollte für entgangenen Lebensgenuß am Saturday-Night-Fever sogar eine Extra-Prämie von 300% zugesprochen werden.

DEUTSCHE FEIERTAGE – LIEB UND TEUER!

Nach aller ökonomischen Rationalität führt dies zu einer neuen Kostenrechnung in den Betrieben, bei denen die Verteuerung der Arbeit außerhalb der Normalzeit gegengerechnet wird, zu einem relativen Anstieg der Kapitalkosten, wenn die Anlagen nicht mehr im Mehrschichtbetrieb laufen. Und da die neuen, hier vorgeschlagenen Zuschläge erklecklich über den bisherig gezahlten liegen, wird sich ein Einhalten der Frist zwischen sieben Uhr morgens und sieben Uhr abends für viele Unternehmen mit bisherigem Zwei-Schicht-Betrieb lohnen. Die rund um die Uhr arbeiten ließen, werden sich stattdessen überlegen, auf zwei Schichten zurückzufahren, um wenigstens die ganz teuren Nachtzuschläge zu sparen. Wobei die Grenze ab Mitternacht es erlaubt, in den siebzehn Stunden der Summe von Tages- und Abendarbeit zwei komplette achtstündige Arbeitstage unterzubringen.
Die mit dem Rückgang an Schichten verbundenen rechnerischen Entlassungen können – zumindest zu guten Teilen – dadurch aufgefangen werden, daß die Wochenarbeitszeit ebenfalls gesenkt wird und zum Beispiel auch in vier Tagen zu leisten ist. Am verbleibenden fünften wäre dann der Arbeitsplatz für eine andere Besetzung frei, so wie auch die zwölf Stunden im Normaltag von mehr als nur einer Schicht genutzt werden könnten. Es ist weder zu erwarten, daß die Einschränkungen bei der Schicht- und Wochenendarbeit sofort und drastisch grei-

fen, noch daß die formale Verkürzung der Wochenarbeitszeit sich voll umsetzt in einen rapiden Rückgang der realen Arbeitsmenge.
Das ist auch nicht nötig, ja, nicht einmal erwünscht. Denn da die *DDR*-Erwerbstätigen ungefähr ein Drittel der westdeutschen Zahl ausmachen, entsteht – Sondergruppe wie Öffentlicher Dienst und Landwirtschaft nicht berücksichtigt – ein Wirkungsfaktor von 3. Nach dem vorne angesprochenen Argument, daß die Hälfte einer Arbeitszeitverkürzung als ›Sickerverlust‹ die erwartete Produktionssenkung wieder verkürzt, reduziert sich dieser Wert auf 1,5. Was bedeutet, daß, wenn hier die Arbeitsmenge beispielsweise um 10% heruntergefahren werden könnte, im Osten bei Umlenken entsprechender Aufträge oder Vergabe von Lohnarbeiten eine Abnahme der Arbeitslosigkeit um etwa 15% zu erzeugen wäre.
Aber um auch nur diese 10% Verringerung an tatsächlicher Arbeitszeit zu erzeugen, muß die Grenze für den Normalarbeitstag und den Normalarbeitsmonat auf jeden Fall sehr viel niedriger angesetzt werden als der rein rechnerischen Verringerung entsprechen würde. Denn wie auch jetzt schon die Erfahrung mit der Überstundenproblematik trotz nicht-ausgelastetem Arbeitsmarkt zeigt: gegenüber Neueinstellungen scheinen Unternehmer geradezu allergisch, so lange sie noch auf eigene Kräfte im Hause zurückgreifen können. Erst wenn dieser Rekurs unverhältnismäßig teuer scheint, beginnt hier ein Umdenken, und selbst dann noch ist immer nur ein Teil der erwarteten Wirkung zu beobachten.
Die gute Nachricht, die in diesem Vorschlag liegt, ist die Wahrscheinlichkeit finanzieller Kompensation für die Arbeitnehmer. Ein Rückgang ihrer Arbeitsstunden bedeutete nicht ein Einkommensverlust in gleicher Höhe. Nehmen wir eine Standard-Situation mit einer tariflichen Wochenarbeitszeit von 38 Stunden und durchschnittlich 2 Überstunden dazu, die – großzügig – mit 50% Zuschlag bezahlt werden. Insgesamt erhält der Beispiel-Kollege dadurch eine Summe von 41 einfachen Stunden-

löhnen. Unterstellen wir ein neues Arbeitszeitgesetz mit den oben genannten Spezifikationen von 32 Normal-Wochenstunden und einem Regelsatz an Überstundenprämie von 100%. Der Arbeitgeber von Herrn Beispiel verringere nun die faktische Arbeitszeit nur um 5%, also auf 38 Wochenstunden. Durch die neue Zuschlagsregelung steigt aber sogar dessen Einkommen auf 44 einfache Stundenlöhne. Wird dagegen die Arbeitszeit um 10% gesenkt, mindert sich das Arbeitseinkommen auch real, allerdings fällt es nur von 41 auf 40 Stundenlöhne.
Nicht berücksichtigt sind in der kleinen Rechnung allerdings die eventuell höheren Abzüge, die bei einer Einbeziehung aller Zuschläge in die Einkommenssteuer noch anfallen. Da die deutsche Einheit Kollege und Steuerzahler Beispiel auf jeden Fall einiges kosten wird – und je höher die Arbeitslosigkeit in der *DDR* ausfällt, desto mehr –, sollte eine Lösung, die ihm sowohl mehr Freizeit bringt wie auch ein Verschieben eines Teils der Belastung in Richtung Unternehmerschaft, jedoch durchaus pläsieren. Bei den Arbeitgebern fallen entsprechend höhere Stückkosten an, allerdings nach den Annahmen bei den Lohnsteigerungen nur die Hälfte der errechneten Belastungen, denn was die Volkswirte Sickerverluste an Beschäftigungswirkungen nennen, sind den Betriebswirten entsprechend ›Sickergewinne‹.
Wieviel die verbleibenden Kostensteigerungen betragen, hängt gänzlich von den Parametern der Veränderung ab. Betriebe mit einem hohen Schichtarbeitsanteil zahlen natürlich mehr als diejenigen mit einer Produktionszeit innerhalb der Regelstunden. Im vorne genannten Beispiel brachte eine Reduktion der Arbeitszeit um 10% eine Senkung des Ausstoßes um 5% und eine Verminderung der Lohnkosten um den Gegenwert einer Stunde. Zusammengenommen bedeutet das eine Steigerung der Lohnstückkosten um weniger als 3% und eine Zunahme der Kapitalstückkosten um 5%. Das sollten die Unternehmen in der Bundesrepublik zur Zeit leicht verkraften können. Daß deren Gewinnsituation so prächtig blüht

wie seit mehr als einem Vierteljahrhundert nicht mehr, ist selbst schon bis in die Wirtschafts-Postillen vorgedrungen. Neuere Netto-Berechnungen müssen teilweise schon bis in die fünfziger Jahre zurückgehen, um vergleichbar günstige Verwertungsbedingungen aufzufinden. Ob die Arbeitgeber allerdings auch eine Einschränkung ihres Gewinnhäufleins zu ertragen wüßten oder sich dem nicht doch entziehen könnten, steht auf anderen Blättern, die im nächsten Kapitel zu finden sind.
Da das große Ziel die Verlagerung und Umlenkung von Produktion in Richtung arbeitswilliger Brüder und Schwestern bleibt und nicht etwa die Verbesserung der Einkommensposition westdeutscher Arbeitnehmer, muß außerdem noch ein Riegel dagegen eingebaut werden, daß ein neues Arbeitszeitgesetz zu einem unerwünschten Run seitens der Belegschaft auf entsprechend gut dotierte Zuschlagszeiten führt. Zwar bietet die Verteuerung der Arbeitsstunden eine überwiegend wirksame Barriere dagegen, aber mit der weiter fortschreitenden Kapitalintensivierung und der damit verbundenen geringeren Bedeutung der Lohnkosten wäre das Entstehen einer besonderen Schicht von Wochenend-, Nacht- und Überstundenspezialisten denkbar, die dank ihres x-fachen Einkommens eine unerwünschte Vorbildfunktion einnehmen.
Es ist nicht unbillig, hier im Gesetz Einschränkungen einzuplanen. Denn auch die hohen Zuschläge wären gesetzlich zustandegekommen, nicht Ergebnis eines Marktprozesses. Und dazu werden manche Kosten solcher zeitextremen und damit psychisch wie physisch belastenden Arbeitsbedingungen wieder der Gesellschaft aufgebürdet, über eine stärkere Inanspruchnahme von Kranken- und Rentenkassen. Also scheint es legitim zu verfügen, daß eine Höchstgrenze an monetären Zuschlägen besteht, sodaß zum Beispiel die Summe aller Zuschläge den vereinbarten Lohn für die Normalarbeitswoche nur um 50% übersteigen darf, eventuell darüber hinausreichende Beträge aber in Zeitguthaben zu verwandeln sind, die abzufeiern wären.

So könnte trotzdem eine neue Gruppe entstehen, die sich von den anderen unterscheidet, aber es wären Zeitpioniere statt Einkommensmaximierer. Sie arbeiteten vielleicht nur Samstag- und Sonntagnacht, wären den Rest der Woche frei für anderes. Studenten mit zu geringen Unterstützungszahlungen könnten gut darunter sein oder die vielbeschriebenen, aber wenig erblickten ›neuen Väter‹. Einen anderen Umgang mit der Zeit sollte es infolge eines solchen Arbeitsgesetzes nicht nur in den Werkshallen, sondern auch auf den Flaniermeilen geben. Auf ein weiteres spezielles Ladenschlußgesetz wie auch der Regelung von Öffnungszeiten für Gaststätten könnte dann nämlich dank der hohen, natürlich auch im Handel und bei Dienstleistungen geltenden Zuschläge verzichtet werden. Es langten vollkommen einige allgemeine Vorschriften zur Beachtung von Lärmschutz bei Anwohnern.

FREIE LADENSCHLUSSZEITEN IM FREIEN DEUTSCHLAND!

Für die meisten Geschäfte wird aus puren Kostengründen 18^{30} der übliche Schlußzeitpunkt bleiben. Aber einige werden dauerhaft länger offen halten, sei es weil die selbständigen Inhaber ihre eigene Arbeitszeit nicht rechnen, sei es weil mit einem Nischen-Geschäft kalkuliert wird, dank der unbezweifelbar zunehmenden Spezies der zahlungskräftigen Späteinkäufer. Die von den Gewerkschaften häufig geäußerte Befürchtung einer Belästigung der jetzigen Arbeitnehmer durch den Oktroy ungewöhnlicher Arbeitszeiten wird keine große Rolle spielen: Es dürften genug zeitdisponible Aushilfskräfte bereitstehen, die bereit sind, für einen Zuschlag von 100% und mehr den Abend und die Nacht zum Tage zu machen. Und so profitierten auch wir in unserer bescheidenen Rolle als Konsumenten ein wenig von der deutschen Einheit – wo wir doch sonst nur mit dem demnächst sicher erhöhten Mehrwertsteuersatz unser Scherflein beizutragen haben.

Aufbauarbeit in Ruinen

Die Aufhebung von Vorschriften zu Geschäftszeiten sollte auch auf die *DDR* übertragen werden, wenngleich mehr der psychologischen Raison wegen. Zwar wird Chemnitz – so wenig wie Celle – durch einen 24-Stunden-Supermarkt schon zu einer Metropole américaine, aber auch kleine Erfolge an Weltläufigkeit zählen und können die Seele balsamieren. Ansonsten muß eine neue Arbeitszeitregelung wie die für den Westen vorgeschlagene im Osten nicht den richtigen Ansatz zur auch dort nötigen, internen Arbeitsumverteilung darstellen. Sie könnte dort – mit Ausnahme einer sehr restriktiven Überstundenbehandlung – gegenwärtig sogar nutzlos sein, wenn nicht zusätzlichen Schaden stiften.
Denn in der *DDR* wird die Arbeitslosigkeit in den Jahren nach der Vereinigung branchenmäßig und damit vor allem auch regional ganz unterschiedlich drastisch zuschlagen. Es wird Gebiete geben, die bisher etwa von einer völlig antiquierten Chemieproduktion gelebt hatten und in denen nun auf einen Schlag die meisten Fabriken geschlossen werden. Was nützt es dann, wenn an weit entfernten Orten die Kollegen eines Maschinenbaubetriebs einige Stunden weniger arbeiten sollen? Es muß also nach anderen Varianten gesucht werden, wie die bestehenden Arbeitsmöglichkeiten auch unter solchen Erschwernissen gerechter auf viele verteilt werden können.
Sicher nicht ohne einige Jahre Zeitverzögerung ist die Hoffnung auf die ausreichende Ansiedelung neuer Firmen zu erfüllen. Schon aus technischen Gründen sind dem raschen Ab- und Wiederaufbau von Maschinen oder gar ganzer Anlagen Grenzen gesetzt. Für ganz neues Material gilt das Problem der Lieferfristen. Nach so langen Jahren an boomender Konjunktur im Westen sind Investitionsgüter bei den Herstellern nicht wie im Supermarkt aufzuladen und an der Kasse zu bezahlen, sondern zwischen Auftragserteilung und Fertigstellung vergehen etliche Monate und manchmal sogar Jahre. Ein guter In-

dikator für die durchschnittliche Lieferzeit ist der Auftragsbestand im Werkzeugmaschinenbau. Auch ohne daß bisher wahrscheinlich überhaupt eine einzige Maschine für ein Joint-venture mit einem *DDR*-Betrieb geordert wurde, waren jetzt schon fast zehn Monate zu kalkulieren.

Dazu kommt die unterschiedliche Qualifikationsstruktur der Beschäftigten beim Branchen- und Berufswechsel. Zwar können zu einem gewissen Prozentsatz Fachfremde immer als Hilfskräfte in bestehende Belegschaften sinnvoll eingegliedert werden, und Umschulungen sowie Training-on-the-job können diese Grenze für sinnvolle Umsetzungen weiter nach oben verschieben. Aber eine ganze Produktionsstätte mit fast ausschließlich anders Qualifizierten zu besetzen, ist nur dann möglich, wenn sehr einfache Tätigkeiten vorherrschen.

Nur wenig besser sieht es mit dem raschen Ausbau bereits bestehender und in Zukunft erfolgversprechender Branchen aus. Hier fallen zwar einige der technischen Hindernisse weg. So läßt sich vor allem auf eine eingearbeitete Facharbeiterschaft bauen, die das Training der Neuen vor Ort zu übernehmen vermag und auf ein Management, das mit der Organisation genau dieser Produktion schon vertraut ist. Dadurch ist nicht ausgeschlossen, daß selbst mit einer nur marginalen Erweiterung der Kapitalausstattung die Zahl der Arbeitsplätze erheblich erhöht werden kann.

Das beste Beispiel dafür ist der Übergang von einem Ein- auf einen Mehr-Schicht-Betrieb. Bei bestehendem Maschinenpark lassen sich dadurch die Zahl der Produktionsarbeitsplätze verdoppeln oder gar verdreifachen. Und genau wegen solcher Optionen sollte das für die BRD vorgeschlagene Arbeitszeitgesetz nicht gleichzeitig in der *DDR* eingeführt werden. Hier ist für eine mehrjährige Übergangszeit die zeitliche Ausdehnung der Produktion über den Normalarbeitstag und die Normalarbeitswoche hinaus dann steuerlich nicht zu bestrafen, wenn damit die Errichtung neuer Arbeitsplätze verbunden ist. Denn eine solche gesetzliche Freizügigkeit lockt natürlich die auswärtigen Investoren zur Neu-Errichtung genau solcher, vergleichsweise arbeitsintensiver Anlagen. Auch dürfte das religiös motivierte Sonntagsarbeitsverbot nach Art. 140 GG dann kaum eine wirtschaftlichen Überlegungen übergeordnete Gültigkeit mehr begründen, wenn über zwei Drittel der Bevölkerung sich gar keiner Kirche mehr zugehörig deklarieren.

MEHR SCHICHT-SCHUFTEN FÜR DEUTSCHLAND!

Trotzdem dürften auch verbesserte Möglichkeiten von Schicht- und Wochenend-Arbeit nur einen recht bescheidenen Anteil zum Abbau der Arbeitslosigkeit leisten. Denn immerhin mußte schon bisher jeder achte der Produktionsarbeiter der *DDR* im Zweischichtbetrieb arbeiten, und jeder vierte sogar in einem Dreischichtbetrieb. Dadurch wurden – jedenfalls vor der segensreichen Wende der Währungsunion – die Maschinen und Anlagen in der Industrie der *DDR* im Durchschnitt täglich für fast 18 Stunden ausgenutzt, erheblich mehr als im Westen und wohl nur schwer weiter zu steigern. Zum Vergleich: für die Industrie der Bundesrepublik ermittelte die EG-Kommission eine Betriebsnutzungsdauer, die für die ganze Woche nur 53 Stunden erbrachte.
Denn es eignen sich auch nicht alle Arbeitsstellen zur personellen Mehrfach-Besetzung – wie etwa jeder Schreibtisch-Tätige mit einem Hang zur persönlich-kreativen Unordnung weiß. Und schon gar nicht läßt sich zur Zeit von einem sicheren Bedarf für das solcherart Mehrproduzierte ausgehen. Schließlich bestehen schon jetzt große Schwierigkeiten, für die auf den veralteten *DDR*-Anlagen hergestellten Produkte ausreichend Abnehmer zu finden. Vor allem aber würde ein Erfolg des Konzeptes Wanderungsbewegungen größten Ausmaßes erfor-

dern. Durch die hohe lokale Konzentration von Branchen sind nur selten aufsteigende und niedergehende Produktionen am gleichen Ort oder in akzeptabler Pendler-Entfernung zu finden.

Denn die regionalwirtschaftlichen Verhältnisse sind nicht so, daß damit verhindert werden könnte, daß in der *DDR* ein drastisches Einkommensgefälle entstehen wird. Drei Beispiele aus Krisenbranchen mögen das Problem der Ballung für das statistisch letztvorliegende Jahr 1988 verdeutlichen. Im Bezirk Cottbus wohnen nur gut 5% der *DDR*-Bevölkerung, hier sind aber 42% der Energie- und Brennstoffindustrie konzentriert. Im Bezirk Karl-Marx-Stadt leben etwa 11%, zugleich werden hier 52% der Textilien der *DDR* erzeugt. Und der Bezirk Halle mit ebenfalls 11% Anteil an der Gesamtbevölkerung produziert 41% der Chemikalien. In diesen Bereichen sind in der *DDR* etwa eine dreiviertel Million Arbeiter und Angestellte beschäftigt, und die Gesamterwerbstätigenzahl der drei Bezirke beträgt etwa 2,3 Mill. Es ist leicht absehbar, in welcher Größenordnung die sich jetzt abzeichnenden Branchenkrisen sich regional noch auswirken werden und welche weiteren Arbeitsplatzverluste bei Zulieferern vor Ort, beim Handwerk, dem Baugewerbe, dem Handel und den Dienstleistungen dies mit sich bringen wird.

In die ökonomisch bessergestellten Gegenden abzuwandern, wird sich aber selbst für die mobilen Teile der Gesellschaft nur schwer bewerkstelligen lassen. Es fehlt dort einfach an Wohnraum für Zuwanderer. Die *DDR*-Bauindustrie wird noch auf Jahre hinaus vor allem mit Reparaturen beschäftigt sein, und die der BRD bleibt mit heimischen Aufträgen ausgelastet bzw. wird via Staatsgelder zu dem infrastrukturell wichtigeren Tiefbau geleitet. Für eine gerechtere Arbeitsumverteilung in der *DDR* muß also eine Lösung gesucht werden, die sowohl auf der Zahl noch vorhandener Stellen beruht wie auch die kurzfristig nicht rasch aufzuhebenden lokalen Wohnungsknappheiten mitberücksichtigt. Und die auch keine di-

rekten geschlechtsspezifischen Schieflagen mitproduziert.
Da wäre als mögliche Strategie an die Einführung eines ›Sabbatical‹ zu denken. Wie leicht herauszuhören, ist dies wieder einmal eine amerikanische Innovation und in der Wortwahl darum viel treffender als deutsche Umschreibungen, die in den Begriffen von ›großer Pause‹ oder ›Langzeiturlaub‹ zwischen nur Flottem und nur Langweiligem schwanken. Was mit dem Sabbatical gemeint ist, ist schnell erklärt: Alle Beschäftigten erhalten darin – neben ihrem normalen Jahresurlaub – eine weitere Urlaubsberechtigung von vielleicht einem Monat im Jahr. Frühestens nach drei Jahren kann und spätestens nach zwölf Jahren muß die aufgelaufene Menge solcher Monate am Stück als Langzeiturlaub genommen werden. Danach heißt es wieder zurückkehren zur alten Stelle, es besteht also eine Arbeitsplatzgarantie, ein ungekündigtes Beschäftigungsverhältnis.

URLAUBSZWANG
FÜR ALLE DEUTSCHEN!

Der Vorschlag ist im Imperativ formuliert, nicht an ein freiwilliges, sondern an ein Zwangs-Sabbatical ist hier gedacht. Schließlich sollen dadurch knappe Arbeitsstellen gleichmäßiger verteilt werden, da darf ein möglicherweise anderslautendes Einzelinteresse nicht im Vordergrund stehen. Dazu gibt es natürlich noch einen pragmatischen Grund, warum das Sabbatical nicht auf freiwilliger Basis eingeführt werden sollte. Bei einer gesetzlichen Bestimmung können Unternehmen auf ihre Beschäftigten nämlich keine Pressionen ausüben, auf dieses Recht doch bitteschön aus betriebsorganisatorischen Gründen zu verzichten. Und ein Interesse daran hätten sie. Denn um arbeitsnachfragesteuernd zu wirken, muß der Zwang auch ihr Verhalten einschließen, muß der Langzeiturlaub komplettiert werden durch eine Pflicht der Arbeitgeber, für diese Zeit der Abwesenheit eine Ersatzperson einzustellen. So etwas verursacht immer Veränderung, auch Kosten können anfallen, so etwas vermeidet man lieber. Darum auch hier eine gestrenge Vorschrift.

In puncto Anwendbarkeit aber können sich die Betriebe nicht beklagen. Jeden Tag, jede Woche, jedes Jahr wird nach wie vor die gleiche Menge an Arbeit geleistet. Nur die Zahl der Personen im Wechsel ist ein wenig höher als heute. Aber das Prinzip sind sie ja schon gewöhnt: Kündigungen, Mutterschaftsurlaub, Einberufungen, Krankheit, Pensionierung, mit all dem sind Unternehmen seit langem konfrontiert und verstehen damit umzugehen. Daß Flexibilität sogar ein firmeninternes Ziel ist, lehrt die Erfahrung im Westen. Denn hier nicht zu übersehen ist die zunehmende Vorliebe selbst großer Konzerne für Leiharbeit, also häufiger wechselndem Personal.

Bei einem Sabbatical-Anspruch von einem Monat pro Arbeitsjahr wäre im Durchschnitt stets eine von zwölf Arbeitsstellen mit einer Langfristvertretung belegt. Das hört sich dramatisch an, wird aber heute schon von der Realität auf unserer Seite der Elbe weit übertroffen. Um die 5 Mill. Personen sind letztes Jahr in der Bundesrepublik erfolgreich auf den Markt für Erwerbstätigkeit geströmt, weitere knappe 5 Mill. haben ihn verlassen, bei einem Bestand von etwa 27 Mill. Arbeitsplätzen keine Kleinigkeit. Und daß es an Fachpersonal fehlen wird, auch dieser zu erwartende Einwand sollte nicht allzu ernst genommen werden. Historisch hätte es dann nie eine längere Phase der Vollbeschäftigung geben dürfen, schon gar nicht aber – wie in den sechziger und frühen siebziger Jahren in der BRD – eine massive Einwanderung ungelernter Arbeiter. Offensichtlich sind Betriebe sehr findig darin, ihre Technik und Organisation einer vorgegebenen Arbeitskräftestruktur anzupassen.

STRAFGELD FÜR DEUTSCHE ARBEITSSÜCHTIGE!

Natürlich, man darf nicht inflexibel sein. Vielleicht gibt es sie ja wirklich, die unersetzbaren Spezialisten, ohne die alles zusammenbricht, für die einfach kein Ersatz zu finden ist. Dafür kann ein Hintertürchen gelassen werden. Wer nach zwölf Jahren immer noch nicht ausspannen will, der darf auch weiterarbeiten. Aber er muß in Form einer empfindlich hohen Sonderabgabe Buße tun, zahlen dafür, daß hier ein Solidarprinzip gegen langandauernde Arbeitslosigkeit unterlaufen wird und damit anderen, nämlich den erfolglos Arbeitsuchenden, Schaden zugefügt wird. In Geldform Schadensersatz leisten müssen auch die Unternehmen, die in der Zeit der Abwesenheit eines Ausspannenden keinen Ersatz einstellen. Entschuldigungen werden da nicht akzeptiert. Wer behauptet, niemand für die freie Stelle zu finden, der bietet entweder zu wenig oder hat es versäumt, durch frühzeitige Ausbildung genügend Qualifizierte heranzuziehen.
Empfänger solcher Abgaben sei die neu eingerichtete Arbeitslosenversicherung. Und sie soll ebenfalls der finanzielle Träger des Sabbaticals sein. Denn wenn auch das tatsächliche Ausmaß der Lohnkostenbelastung in *DDR*-Betrieben noch nicht übersehbar ist, so dürfte es sich als unmöglich erweisen, die Arbeitgeber einen ganzen Monat zusätzlich Urlaub finanzieren zu lassen. Auf Arbeitnehmerseite wäre es jedoch für die meisten völlig unakzeptabel, im Durchschnitt jeden Jahres vier Wochen unbezahlt frei zu nehmen. Also muß eine Form gefunden werden, wenigstens einen Teil des Lohnes von dritter Stelle weiterzubezahlen.
Die Lösung: die Arbeitslosenversicherung der *DDR* behandelt die Sabbatzeit wie Phasen von Arbeitslosigkeit. Eine solche Ausdehnung der Definitionsgrenze des Aufgabenbereichs ist übrigens nichts Systemfremdes. Die

Versicherung zahlt heute schon bei Umschulungs- und Qualifikationsmaßnahmen oder gar – wie jetzt in der *DDR* häufig praktiziert – für längere Kurzarbeit als beschäftigungspolitische Maßnahme. Zur unfreiwilligen Arbeitslosigkeit gäbe es für die Beschäftigten einen einzigen, allerdings entscheidenden Unterschied. Die Verpflichtung, sich für den Arbeitsmarkt zur Verfügung zu halten, muß für Sabbaticals entfallen, ist sogar in ihr Gegenteil zu verwandeln. Es soll ja gerade nicht in dieser Zeit in Deutschland gegen Entgeld gearbeitet werden, sondern die Alimentation erfolgt via der Arbeitslosenunterstützung. Und da bisher die beim Staat Beschäftigten in der *DDR* noch keinen vollen Beamten-Status erhalten haben, bedarf es für diese Gruppe nicht einmal der Errichtung einer speziellen Kasse, um auch hier das Sabbatical einzuführen.

Versicherte erhalten von der Arbeitslosenkasse bei Eintreffen des Versicherungsfalles etwa zwei Drittel des Nettolohnes, wenn die genannten Sätze sich halten werden. Die Eigenleistung der Beschäftigten beträgt also ein Drittel eines Monatslohnes und beinhaltet damit auf das Jahr umgerechnet einen Verlust von circa drei Prozent der gesamten Lohnsumme. Das kann als akzeptabler Gegenwert für vier Wochen zusätzlichen Urlaub gelten, und der monetäre Einkommensrückgang wäre – bei Verteilungs-Verhältnissen wie gegenwärtig in der Bundesrepublik-West – binnen einer Tarifrunde sogar wieder aufholbar.

Und was ließe sich nicht alles mit einer drei- bis zwölfmonatigen Freiheits-Phase anfangen! Mit großer Sicherheit ist damit eine doppelte Qualifizierungs-Offensive für *DDR*-Arbeitnehmer verbunden. Nicht wenige der Freigestellten werden sich in dieser Zeit weiterbilden wollen und vielleicht eine der bisher vernachlässigten anderen europäischen Sprachen lernen oder den Umgang mit Computern üben. Das ergäbe ganz nebenbei eine neue Marktchance für Weiterbildungsinstitutionen, die politisch belasteten ehemaligen Lehrern mit Crashkursen zu neuem Lohn und Brot verhelfen. Ob Wirtschaftsjapanisch für Sachbearbeiter in 12 Wochen, die Lehranalyse für Krankenschwestern in 12 Monaten oder die in Etappen zu studierende Kunst ganzheitlicher Auwaldpflege für Chemielaboranten, gegen ausreichend Cash wird das alles und noch mehr erhältlich sein.

Für die Vertretungen der Langzeiturlauber in ihren Stamm-Betrieben springt natürlich auch etwas heraus: es gibt Gelegenheit zum Hineinschnuppern in ein bisher ihnen nicht vertrautes Arbeitsfeld, es gibt praktische Erfahrungen auf einer Training-on-the-job-Basis. Mit solchem universell erfahrenen Personal läßt sich dann später schon leichter als jetzt eine ganz neue, polytechnisch avancierte Produktion aufbauen.

Zugleich könnte mit der Rotation am Arbeitsplatz nicht selten auch ein Wohnungstausch verbunden werden, damit den knappen Wohnungsmarkt in den besser florierenden Ballungsgebieten entlastend. Die temporär beschäftigungslos Gewordenen ziehen sich für einige Monate dorthin zurück, von wo Ersatzarbeitskräfte ein Interesse am Einspringen signalisieren. Optimal wäre es etwa für Haushalte mit nicht-schulpflichtigen Kindern, die ganze warme Jahreszeit in ländlich-schönen Gegenden zu genießen. Größere Zusatz-Kosten für die Ferienwohnung entstehen nicht, wird doch die eigene Wohnung im Gegenzug zusammen mit dem Arbeitsplatz weitergegeben.

SOMMER-FRISCHELN FÜR DEUTSCHLAND!

Aber auch wenn viele eine solche Option des zeitweisen Wohnungswechsels nicht realisieren können oder wollen, so bleibt es doch für die einspringenden Beschäftigten leichter verkraftbar, für wenige Monate selbst in behelfsmäßigen Unterkünften zu leben als einen problembeladenen Umzug mit der ganzen Familie zu versuchen. Schließlich stellt die *DDR* kein allzugroßes geographisches Gebiet dar, und so ist eigentlich von praktisch jedem Ort zu jedem anderen ein Wochenendpendeln vorstellbar. Die Monteurs-Brigade mit den rauhen aber herzlichen Umgangsformen stellte doch auch schon bisher einen solch herausragenden Topos in den *DDR*-Medien dar, daß man getrost ihre Fortschreibung als Serie mit Manfred Krug in der Hauptrolle demnächst auch gesamtdeutsch erwarten darf.

Natürlich bedeutet eine Springer-Existenz mit einigen Monaten Arbeiten hier, dann vielleicht wieder einige Zeit nichts, bevor der nächste Einsatz-Job angeboten wird, für die meisten davon Betroffenen kaum das angestrebte Berufsziel. Aber die sonst geltende Gefahr einer hoffnungszerstörend lange andauernden Arbeitslosigkeit bietet ebensowenig die bessere Alternative wie die bei einer reinen Prämiierung von Mobilität drohende Entvölkerung ganzer strukturschwacher Gebiete. Wenn in demnächst arbeitsplatzarmen Gegenden immer nur ein Teil der Erwerbstätigen als Ersatzbeschäftigte für Sabbaticalisten außerhalb arbeitet, aber zu ihren Familien periodisch wieder zurückkehrt, bleibt die kommunikative und qualifikationsmäßige Struktur der Ansässigen weitgehend erhalten. Und dieser intakte Unterbau kann in späteren und etwas besseren Zeiten genutzt werden, neue und beständige Arbeitsmöglichkeiten vor Ort aufzubauen.

MOBILE EINSATZ-KADER
IN DEUTSCHE BETRIEBE!

Und schließlich, manchen in der Bevölkerung der *DDR* täte das Sabbatical auch noch in einem anderen Sinne nur gut. Denn gar nicht so unähnlich den in der Bundesrepublik festgestellten Verhältnissen bilden auch in der *DDR* die Mehrheit des rechtsextremistischen Potentials nicht etwa lumpenproletarische Elemente, sondern die ordentlichen jüngeren Facharbeiter aus Industrie und Bauwirtschaft. In den ersten sozialwissenschaftlichen Untersuchungen zeigte sich laut Fischer, daß »bei Mitgliedern rechtsextremistischer Gruppierungen die Arbeit und die Arbeitsdisziplin einen ausgesprochen hohen persönlichkeitsstrukturierenden, identitätsstiftenden und ideologieproduzierenden Stellenwert erhalten«. Auch wenn hier keine sicheren Voraussagen erwartet werden dürfen, die Wahrscheinlichkeit ist groß, daß es einen mäßigenden und damit zivilisierenden Effekt ausübt, wenn die Verlockungen des dolce far niente auch bis Halle und Jena vordringen. Es wird viel Arbeit geben für Freizeitpädagogen, sich flankierende Programme auszudenken, besonders was Begegnungsmöglichkeiten mit Menschen anderer Nationalität betrifft.

Noch besser ist freilich, wenn dies von selbst geschieht. Die behenderen Werktätigen werden schnell die größte in einem Sabbatical liegende Chance erkennen und auch auf eigene Faust die noch fehlenden Auslandserfahrungen im bisher ihnen verschlossenen Teil Europas oder gar Übersees wahrnehmen. Von der Weinernte in Frankreich über die Möglichkeit des Aushilfsmatrosen auf Trampschiffen bis zu einer als Praktikum getarnten Beschäftigung in den USA lassen sich mit einer Basisfinanzierung durch das Arbeitslosengeld vielmonatige Aufenthalte außerhalb des Geltungsbereichs des Grundgesetzes auch ohne größere Geldvorräte organisieren.

DEUTSCHE WANDERARBEITER IN DIE WEITE WELT!

Die vorausgesetzte Beschäftigungsgarantie und der Pflichtcharakter vertreiben dabei die Angst vor einem zu hohen Arbeitslosigkeits- oder Karriere-Risiko, die sonst die Realisierung solcher von vielen gehegter Träume meist chancenlos erscheinen lassen. Seitens der Arbeitsverwaltung wiederum besteht nur ein Interesse an einer überprüfbaren Nicht-Arbeit in Deutschland, kein Einwand jedoch gegen eine Tätigkeit jenseits der Grenzen und somit auch keine Kontrollnotwendigkeit am freien Was und Wo der Sabbaticalisten.

Getrennt marschieren, vereint siegen

Die getrennte Einführung einer neuen restriktiven Arbeitszeitregelung im Westen und eines Sabbaticals im Osten entspricht natürlich nicht dem Prinzip der bei einer Vereinigung anzustrebenden Rechtsunion. Unterschiedliche Gesetzesbücher und Verwaltungsregelungen werden jedoch noch einige Zeit in vielen Feldern gelten. Und die zwei vorgestellten Programme haben den Vorteil, nicht gegensätzlich, sondern komplementär zu wirken. Dadurch ist es möglich, daß beide Gesetze jeweils auch sofort in beiden Teil-Staaten eingeführt werden, und nur in ihren quantitativen Dimensionen noch unterschiedlich bestimmt werden.
So würden dann in der *DDR* die Zuschläge für Nacht- und Wochenendarbeit einen viel niedrigeren Wert annehmen als in der Bundesrepublik, bis hin zu der denkbaren Untergrenze von manchmal auch nur 0%. Das entsprechende Gesetz der Zahlenfestlegung könnte immer nur für einen bestimmten Zeitraum gelten – vielleicht für ein oder zwei Jahre – und müßte periodisch vom Parlament jeweils so lange mit neuen Werten versehen werden, bis nach einiger Zeit des ökonomischen Aufschließens auch hier eine Angleichung an den Westen zu erreichen wäre.
Dort wiederum von Anfang an auch das Sabbatical gleitend einzuführen, scheint mehr Probleme aufzuwerfen.

Eine als ›groß‹ definierte Pause kann kaum in kleinen Zeitschritten durchgesetzt werden. Aber hier gibt es die Perspektive, den Beschäftigten in Zukunft eine Wahlmöglichkeit zu eröffnen zwischen dem Status quo und einer erneuten Verlängerung ihrer Wochentätigkeit. Die gesetzliche Vorgabe im Westen würde also modifiziert werden um einen Passus, daß die zuschlagsfreie wöchentliche Regelarbeitszeit dann nicht 32 Stunden, sondern vielleicht wieder 38 Stunden betragen könnte, wenn dafür ein Freizeitausgleich nach der Sabbaticalregelung genommen wird.
Konkret bedeuten die 6 Stunden Zeitdifferenz per annum – also Jahreswochen minus sechs Wochen durchschnittlichem Urlaub – ein Guthaben von 276 Stunden. Davon kann nur ein Drittel als Berechtigung anerkannt werden. Denn während des Sabbaticals zahlt ja die Nürnberger Bundesanstalt für Arbeit etwa zwei Drittel des durchschnittlichen Arbeitseinkommens, eine Leistung, von dem die Beschäftigten mit der Alternativ-Option der dauerhaft geringeren Wochenarbeitszeit weder profitieren noch dafür kompensiert werden. Andererseits werden von jenen mit der Entscheidung pro Sabbatical wieder um den Gegenwert von sechs Wochenstunden höhere Beiträge entrichtet. Beides berücksichtigt führt zu einem verbleibenden Anspruch von 2,9 Arbeitswochen pro Jahr, die für ein bezahltes Sabbatical aktiviert werden können.

FREIE WAHL,
FÜR FREIE DEUTSCHE!

Das darf als eine ausreichende Grundlage für diese Institution gelten und ist leicht auf die für die *DDR* vorgeschlagenen 4 Wochen zu erhöhen, wenn noch die Möglichkeit eingeräumt werden würde, einen Teil des regulären Jahresurlaubs dafür übertragbar zu machen. Denn nicht alles von den üblichen sechs Wochen und mehr muß heute allein der direkten Ruhe und Erholung vom Arbeitsprozeß dienen, wie es Gesetzgeber und Rechtsprechung einst vorschwebte. Und noch mehr Spielraum steht dort zur Verfügung, wo die in den letzten Jahren bereits durchgesetzte Verkürzung der Wochenarbeitszeit in Form von freien Tagen vereinbart wurde. In weiteren Bereichen des öffentlichen Dienstes bedeutet dies zum Beispiel, daß bei einer Vierzig-Stunden-Woche schon jetzt mehr als weitere zwei Wochen Freizeit im Jahr neben dem Urlaubsanspruch bestehen.

Sogar ein direkter praktischer Schritt in Richtung Sabbatical ist in der Bundesrepublik kürzlich unternommen worden, und zwar von recht unerwarteter Seite. Es haben sich nämlich die Tarifparteien im Metallbereich in ihren neuen Verträgen darauf geeinigt, daß für einen Teil der Arbeitnehmer die vereinbarte Verkürzung der Wochenarbeitszeit nicht zwangsläufig in dieser Form gelten muß, sondern die Zeitdifferenz auch als Freizeitausgleich am Stück genommen werden kann und dieser Anspruch bei Nicht-Wahrnehmung über wenigstens zwei Jahre hinweg nicht erlöscht, sondern akkumulierbar bleibt. Das ist neben dem althergebrachten Privilegium der Professoren mit ihrem Recht auf ein sechsmonatiges Sabbatical jedes siebte Semester für die Bundesrepublik das erstemal, daß auch ein Industriezweig sich Neues dazu überlegt, wie die zunehmende Freizeit anders als bisher genutzt werden kann.

Zugleich würde mit der Möglichkeit eines Sabbaticals auch im Westen eine auffällige Lücke in den üblichen Arbeitsrhythmen geschlossen. Der Arbeitstag hat seine Pausen, die Arbeitswoche kennt den freien Samstag und Sonntag, das Arbeitsjahr enthält den Jahresurlaub. Aber auf der nächsten Ebene des Arbeitslebens kommt bisher gar nichts mehr an möglicher Unterbrechung, da soll von der Ausbildung an durchgearbeitet werden bis zur Rente, bis die Arbeitsfähigkeit sich einem natürlichen Ende zuneigt. Die Einsicht beginnt sich durchzusetzen, daß hier

noch unausgeschöpfter Raum für Lebensfreude vorhanden ist.
Und das Interesse daran übersteigt die vermutlich von vielen assoziierte ausschließliche Verbindung mit den gut verdienenden, wohlausgebildeten Funktionseliten. Schon vor Jahren ist von Mertens u. a. ein Querschnitt bundesdeutscher Arbeitnehmer gefragt worden: ›Angenommen, es bestünde die Möglichkeit, bei Weiterzahlung von 75% des derzeitigen Nettolohnes bzw. -gehaltes einmal für einige Monate Pause zu machen und nicht zu arbeiten, bei gleichzeitiger Garantie, wieder an den alten Arbeitsplatz zurückkehren zu können, würden Sie von dieser Möglichkeit Gebrauch machen?‹ Schon 1979 antworteten 37,9% darauf mit einem eindeutigen ›Ja‹, weitere 19,5% mit ›Vielleicht‹.

Kapital

Die herrschende Schule will die Wohltaten
des freien Binnenverkehrs als Beweis gelten lassen machen,
daß die Nationen nur durch die absolute Freiheit
des internationalen Verkehrs zur höchsten Prosperität
und Macht gelangen können, während doch die Geschichte
überall das Gegenteil beweist.
Das nationale System der politischen Ökonomie
Friedrich List, 1844

Das von vielen erwartete und jetzt von allen zu beobachtende Anschnellen der Arbeitslosigkeit findet nicht allein seinen Grund in einer realsozialistisch verdorbenen Arbeitsmoral, soviel der Schlendrian auch als einzig wahrer Besitzstand in einem Arbeiter- und Bauernstaat gegolten haben mag. Dazu kommt aber ein systematisches Sturmreifschießen der *DDR*-Wirtschaft von bundesrepublikanischer Seite. In der *DDR* sind alle Beschränkungen der Einfuhr westdeutscher Waren aufgehoben worden, ein Prozeß, der sich schon vor der offiziellen Einführung der Währungsunion zum 1. Juli Bahn brach und offensichtlich weder zu dieser Zeit noch danach politisch revidiert werden sollte. Damit war es für die meisten Wirtschaftswissenschaftler eindeutig, daß ab Sommer nur noch die Konkursmasse zu verwalten war. Denn mit sehr wenigen Ausnahmen sind die Unternehmen der *DDR* in einem einheitlichen DM-Gebiet mit ihren Produkten nicht von heute auf morgen konkurrenzfähig.

Und dieser Nachfragerückgang war nun wirklich leicht vorauszusagen. Jeder Entwicklungshelfer hätte dazu seine Geschichte erzählen können, wie schwer es ist, in Ländern der dritten Welt heimische Erzeugnisse gegen die ausländische Konkurrenz der ersten durchzusetzen, wenn Ruf und Image der als überlegen angesehenen Importe schon etabliert ist und ihr Erwerb nicht zolltechnisch beschränkt wird. Aber für die *DDR*, deren Produkte vom Automobil- bis Chipbau man im freien Westen nur putzig und erheiternd fand – und im eigenen Land selbst dann auch reichlich peinlich –, sollte diese weltweit bewährte Erfahrung nicht gelten? Es bedurfte schon des Zusammenspiels eines Wirtschaftsministers mit schwäbischer und eines Finanzministers mit oberschwäbischer Herkunft, um den Ausgaberahmen der Treuhandstelle – Formaleigentümerin von immerhin etwa drei-viertel der Wirtschaft der *DDR* – für die Zeit von Anfang Juli bis Ende Dezember 1990 auf großzügige 10 Mrd. DM festzulegen. Für knappe zwanzig Tage im

Juli reichte das wenigstens für die dringendsten Anforderungen der Betriebe.

Verschleuderte D-Mark und vergossene Milch

Der private Konsum, also die Fixiertheit des aus der Knechtschaft der HO entlassenen souveränen *DDR*-Konsumenten auf West-Waren, kann die Liquiditätskrise der Unternehmen nicht allein erklären. Auch bei Vorleistungen und Investitionsgütern scheint man sich weitgehend zur anderen Seite hin zu orientieren. Denn außer den 10 Mrd. von der Treuhand verfügten die Betriebe nach der Währungsreform noch über frisch umgestellte Konten mit 27,8 Mrd. DM. Das machte bei den knapp 7 Mill. Erwerbstätigen, die nicht direkt in staatlichen Verwaltungen arbeiten, zum gegenwärtigen Lohnniveau von brutto etwa maximal DM 1500 immerhin eine Durchschnittsreserve von dreieinhalb bis vier Monatslöhnen. Solange bräuchten bei Gleichverteilung der Mittel keine Entlassungen vorgenommen werden, auch wenn von seiten des volkseigenen Gewerbes nichts produziert, nichts verkauft werden würde. Denn Steuern und Sozialabgaben, die andere Zahlungsnotwendigkeit, fallen vorwiegend im Bereich der Arbeitskosten beziehungsweise als Mehrwertsteuer bei tatsächlich getätigtem Umsatz an und sind dazu für einige Zeit an der erst im Aufbau befindlichen Finanzverwaltung der *DDR* leicht vorbeizulotsen.

Wenn die Betriebe aber nur wenige Wochen nach der Währungsunion schon auf breiter Front nach mehr Zuschüssen rufen, um wenigstens die Löhne zahlen zu können, so kann das eigentlich nur bedeuten, daß diese Mittel vor allem auch für die Zahlung von Lieferungen ver-

ausgabt wurden, die in der Hoffnung auf Weiterproduktion geordert wurden. Die wiederum müssen zu großen Teilen aus der BRD stammen, da von entsprechenden liquiditätsverbessernden Einnahmen im Kreislauf der *DDR* keine Kunde uns erreichte. Das erklärt den sofortigen Mittelabfluß, denn im Westen dürfte man Cash verlangt haben, bei solch windigen Geschäftspartnern ungeklärter Bonität.
Ob mit dem blitzschnellen Ersatz östlicher Lieferanten durch westliche tatsächlich bei den Belieferten auch Produktivitätssteigerungen einhergehen und damit in nächster Zeit neue Absatzchancen entstehen, weiß man nicht. Mancher Dienst-BMW für die Leitung wird auch darunter sein. Daß es an anderer Stelle in der *DDR*-Produktion deswegen zur Verschärfung der Krise kommt, ist dagegen gewiß. Und schon deren Basiswert war kläglich genug. Im Juni, dem letzten Monat vor der Währungsunion, konstatierte das Statistische Amt der *DDR* bereits einen Rückgang der Warenproduktion um 15%.
Auf der kleinen Ebene privater Interessen muß das Verhalten der Leiter der Kombinate in Auflösung oder der GmbHs in Gründung allemal nutzenmaximierend genannt werden. Alte Haushaltsfüchse wissen: Eigene Finanzmittel sind von abhängigen Einheiten so rasch wie möglich auszugeben, bevor sie weiter oben angenehm auffallen, also etwa Ost-Berlin oder Bonn-West die naheliegende Idee entwickeln könnten, diese Konten bei Finanzmangel leerzuräumen. Solchem Ansinnen sorgt eine gute Verwaltung immer vor. Schließlich bleiben die Regierungen ja die Eigentümer und können sich hinterher der Verantwortung auch bei Fehlschlägen nicht entziehen. Während das von Entlassung bedrohte Management nur an Reputation und Chancen einer Weiterbeschäftigung gewinnen kann, wenn es alle möglichen und selbst unsinnig scheinende Befreiungsschläge versucht, um der Malaise aus eigener Kraft zu entkommen.
Die Literatur der Organisationswissenschaften ist voll

von solch kleinen Fällen unterschiedlicher Interessen zwischen Leitung und ferne wirkenden Besitzern, und betont deshalb die Kontrollnotwendigkeit schon im Normalgeschäft. Um wieviel mehr gilt das bei Vorliegen besonderer Umstände. Es hätte leicht etwa die Ausdehnung von Westbestellungen genehmigungspflichtig gemacht werden können, um wenigstens einen *DDR*-vorleistungsinternen Warenkreislauf abzusichern. Aber man war von seiten Bonns wohl zu beschäftigt, um Petitessen dieser Art wahrzunehmen, wenn doch bald sowieso das ganze Gelumpe von tatkräftigen Leuten der eigenen Couleur übernommen werden sollte. Darauf warten wir allerdings immer noch, zusammen wohl mit den Beamten des Finanzministeriums. Wie formulierten die im Frühjahr so schön: »Aus Gesprächen mit Unternehmern in der Bundesrepublik Deutschland ergibt sich klar, daß auch hier eine große Investitionsbereitschaft besteht, wenn mit dem Staatsvertrag die marktwirtschaftlichen Rechtsgrundlagen geschaffen sind.«
So verlassen von allen guten Geistern – als da sind die D-Mark der Konsumenten, die bisherigen Kundenbeziehungen im eigenen Land und die Wunderwirkung der Westinvestoren –, hätten die *DDR*-Betriebe nur dann eine Chance eines selbständigen Weges gehabt, wenn sie entweder weiter in einem eigenen Währungsgebiet hätten verkaufen können oder zumindest eine Zollgrenze ihnen vor den als überlegen angesehenen Importen einen zeitweisen Schutz gewährt hätte. Im ersten Fall wäre neben allen anderen Waren auch die Arbeitskraft der Bevölkerung in Mark der *DDR* entlohnt worden, und ein realistischer, vom Markt gefundener Wechselkurs von vielleicht 1:4 oder schlechter hätte manche Kaufentscheidung zugunsten westlicher Produkte anders ausfallen lassen. Und hätte sich die *DDR* – unterstützt von in DM ausgedrückten Haushaltsgarantien und Umstrukturierungsbeihilfen der Bundesregierung wie sie jetzt auch gelten – ihre Exporte nicht mehr in Devisen, sondern in heimischer Währung bezahlen lassen, wäre durch die damit initiierte

Nachfrage von außen nach Mark auch eine Stabilisierung des Wechselkurses möglich gewesen.
In einiger Ruhe wären dann die Umstellung der durch allerlei Subventionen hochverzerrten Preisstruktur in der *DDR* an die Reihe gekommen, die Neuorientierung des Staatshaushaltes mittels einer Angleichung des Steuer- und Abgabensystems an die bundesrepublikanische Vorlage und schließlich die Ermittlung einer Umtauschquote, die die Produktivitätsdifferenz berücksichtigte. Damit hätte man mit etwas Glück die Ost-Ökonomie wettbewerbstauglich machen können – wie die Bundesbank noch im Juli-Monatsbericht des Vereinigungsjahres 1990 nicht lassen mochte, der Bonner Regierung erneut vorzuhalten: »In einer von der Bundesregierung erbetenen Stellungnahme empfahl die Bundesbank daher, nach einer Preisentzerrung und kompensatorischen Anhebung der Einkommen, die beide vor der Währungsumstellung vorzunehmen gewesen wären, die Stromgrößen im Verhältnis 2:1 umzustellen.«
Jetzt sind in der *DDR* die Rollen von Produzent und Konsument gerade durch die DM-Vereinigung entzweigerissen, jeder Griff nach der oft gleich teuren oder gar preiswerteren Westware bedroht weitere Arbeitsplätze, aber scheinbar nie den eigenen, sondern den völlig fremder Personen. Jedoch ist jedes Raisonnement darüber vergossene Milch. Nicht zuletzt die Bauern, die nach der Währungsunion dieselbe kübelweise protestierend der Kanalisation anvertrauten, hatten in der Volkskammerwahl am 18. März mit satter Mehrheit für den schnellen monetären Anschluß votiert. Es gehört zu den großen Ironien in deutschen Landen, daß die dafür gewählte ›Allianz für Deutschland‹ – sprich CDU, DA, DSU – in den kleinen Gemeinden, also bei der ländlichen Bevölkerung, ihre beste Ernte an Stimmen einfahren konnte. Ebenfalls überdurchschnittlichen Anklang fand diese in den Augen vieler ihrer Wähler mittlerweile als recht ›unheilig‹ geltende Allianz übrigens bei der gleichfalls jetzt unter stärksten Rationalisierungsdruck kommenden Berufs-

gruppe der Arbeiter, wie die Forschungsgruppe Wahlen in einer Untersuchung ermittelte.

Zollteilung statt Zusammenwuchern

Aber auch nach der überhasteten Währungsunion hätten noch schonendere Wege der Anpassung offengestanden. Substitut einer fortbestehenden eigenen Währung können auch Zölle oder Einfuhrkontingente bilden. Und tatsächlich wurden beide Instrumente in der Anfangsdiskussion um den ersten Staatsvertrag genannt, das eine für Industriewaren gedacht, das andere für landwirtschaftliche Produkte. Lothar de Maizière erinnerte noch in seiner Regierungserklärung zur Verhandlungsrunde über den Staatsvertrag I an das Vorgehen der EG-Erweiterung: »So wie für Griechenland, Portugal oder Spanien mehrjährige Übergangsregelungen zum Schutze ihrer eigenen Wirtschaft galten, werden wir vergleichbare Schutzmechanismen mit der Bundesregierung vereinbaren müssen.«
Offensichtlich mußten sie dann doch nicht. Zwar stehen als Erinnerungsposten kleinere mögliche Einfuhrkontingente für bestimmte Agrarprodukte noch im Vertrag, aber durchgesetzt werden sie nicht. Als Hauptargument dagegen wurde die weitgehend offene, kaum mehr kontrollierte Grenze genannt, über die dann ein reger Einkaufsverkehr aus dem Osten eingesetzt hätte. Natürlich wäre ab einem interessanten Zollsatz die Butter- und Bananenfahrt für die Grenzbevölkerung lohnend gewesen. Aber der Einwand gilt auch für alle anderen mit fremden Nachbarn gesegneten Regionen, etwa für das Gebiet der Bundesrepublik nahe den Benelux-Staaten. Auch hier schafft man es schließlich immer noch, recht unterschiedliche Preisstrukturen beidseits der Douane aufrechtzuer-

halten und trotzdem die Belästigung durch allzuviel Kontrollen im Zaum zu halten.

BRÜSSELER SPITZEN FÜR DEUTSCHLAND!

Die große Herausforderung wäre zugegebenermaßen West-Berlin geworden. In dieser Stadt voller wiedereröffneter Straßen, U-Bahnen, S-Bahnen und Buslinien hätte es eines immensen Kontrollaufwandes bedurft, um Einkaufsfahrten der vielen Millionen starken Umlandbevölkerung effektiv zu unterbinden. Und jeder praktische Versuch in dieser Richtung wäre politisch sofort am aktiven Widerstand der in solchen Fragen nicht gerade obrigkeitsbegeisterten Berliner gescheitert. Allein, wie das Exempel mit der jeweiligen Mobilität von Propheten und Bergen uns nun einmal lehrt, es wäre auch einfach der umgekehrte Weg möglich gewesen, indem man nämlich West-Berlin zolltechnisch zur *DDR* gehörig deklariert hätte. So wie etwa auch das österreichische Klein-Walsertal dank seiner nur in dieser Richtung ausgebauten Verkehrsverbindungen ein Zollgebiet der Bundesrepublik ist.

In diesem Fall hätten auch West-Berliner bei Einkäufen von Westwaren eine Sonder-Einfuhrsteuer bezahlt, wobei – um keinen Einkommensverlust zu erzeugen – ihnen der fiskalische Ertrag sofort wieder in Form einer personenbezogenen Ausgleichszahlung pauschal gutgeschrieben gehört hätte. Mit Sicherheit wäre mit einer solchen Lösung noch ein positiver Zusatzeffekt verbunden gewesen. Weil nämlich mancher aus der Zwei-Millionen-Halb-Stadt auf einige der dann recht preiswerten *DDR*-Produkte umgestiegen wäre. Dank der etwa doppelt so starken Kaufkraft pro Person hätte dieses West-Berliner Potential für die *DDR* einen Zuwachs an Konsumnachfrage von maximal immerhin bis zu einem Viertel bedeu-

ten und damit einige Griffe in den Regalen dort nach Importen neutralisieren können.
Denn nicht allein die Einkommensschwachen hätten zugelangt. Anderen wäre es um den Snob-Effekt gegangen, um die einer so aufregend fremden Waren-Ästhetik unterliegenden Relikte aus einer gerade untergehenden Welt. Wen will man schließlich auch in einer Metropole noch damit beeindrucken, etwa ›Sweet Afton‹ zu rauchen und dabei Verse von Robert Burns zu murmeln, wenn der Nachbar an der Bar dagegen unter Preisgabe einiger Sätze von Christa Wolf die viel seltenere Ost-Cigaretten-Marke ›Sprachlos‹ zu zücken vermag?

MEHR RADEBERGERN
FÜR DEUTSCHLAND!

Nach dem jetzt sicher irreversiblen Abbau aller Grenzkontrollen sind immer noch Lösungen zur Absatzstabilisierung von *DDR*-Waren möglich, aber nun werden sie teurer oder sind in der Verwaltung aufwendig. So war auch eine Zeitlang in der Diskussion, Subventionen zu zahlen, wenn im Osten hergestellte Produkte im Westen Deutschlands verkauft würden. Wieviel das den Steuerzahler kosten würde, hinge von den Beihilfesätzen ab. Aber wenn man bedenkt, daß allein schon die Steuervergünstigungen des nach einem ähnlichen Muster gestrickten Berlin-Fördergesetzes 1990 fast 10 Mrd. DM ausmachen werden, nur um hier mit Mühe die Reste einer glorreichen Industrievergangenheit zu konservieren, läßt sich abschätzen, welche Belastungen aufträten, würden ähnliche Prinzipien auf die *DDR* ausgeweitet.
Selbst wenn man die darin enthaltenen 3 Mrd. DM Arbeitnehmerzulage nicht berücksichtigt, führt die Kontrastierung des Umfangs der Berlinhilfe mit den *DDR*-Verhältnissen zu höchst unerfreulichen Überlegungen. Denn dort ist die Bevölkerung etwa achtmal so groß, und die

Aston University Library & Information Services
Aston Triangle Birmingham B4 7ET England

Produktivität im Schnitt nicht einmal halb so hoch, was bei einer Überschlagsrechnung den Faktor 16 für einen notwendigen jährlichen Subventionsbetrag ergibt. Und wie in West-Berlin hätte man dazu effizienzmindernd mit vielerlei Mitnahmeeffekten zu rechnen, auch mit Subventionsbetrug durch Pseudo-Produktion, um schließlich doch nichts anderes als eine letztlich höchst kostspielige Verlängerung der Agonie vieler definitiv nicht mehr zu rettender Herstellungsprozesse zu erzeugen. Es ist darum kein Wunder, sondern diesmal sogar Ausdruck des sonst im Vereinigungsgeschehen eher rar gewordenen ökonomischen Sachverstandes, wenn dergleichen Pläne zur Breitband-Subventionierung zunächst wieder in den Schubladen verschwanden, kaum daß sie das erstemal dem Licht der öffentlichen Diskussion ausgesetzt wurden.

KEINEN SUBVENTIONSDÜNGER IN DEN MÄRKISCHEN SAND!

Wenn nicht die Staats-Haushalte dafür sorgen können oder wollen, daß wenigstens größere Teile der *DDR*-Anlagen weiterdampfen und -stampfen, kann nur noch auf die letzte Institution zurückgegriffen werden, die dazu fähig ist: die private Wirtschaft, wie der übliche Euphemismus für die großen Kombinate West lautet. Und da diese ihre Aufgabe nicht in der Übernahme von Staatsverpflichtungen, sondern in der Gewinnmaximierung sehen, bleibt nichts anderes übrig, als sie zu ihrem Engagement zu zwingen. Denn nach den großen und wohlfeilen Eröffnungsreden wartet man von jener Seite im Moment nur gelassen ab, ob im ans Licht geförderten Modder nicht doch auch einige Perlen zu finden sind, während man sich bei den Sanierungsarbeiten selbst aber nicht schmutzig machen möchte. Die vereinigte Käufermacht von Unternehmen weiß, daß ihre Stellung gegenüber der Treuhandstelle als nomineller Besitzinstanz des *DDR*-Produktivvermögens mit jedem Tag ausgefallener Produktion stärker wird, der zu zahlende Preis für Betriebsteile dadurch geringer.

VON DEN USA LERNEN HEISST SIEGEN LERNEN!

Anders wäre ihr Verhalten, wenn eine Abnahmeverpflichtung für *DDR*-Waren sie drückte. Wenn also etwa Endverkäufer gezwungen wären, zu einem bestimmten Prozentsatz Ost-Produkte mitabzusetzen. Natürlich wird etwa der freundliche Opel-Händler deshalb kaum Trabants oder Wartburgs in die Schaufenster packen, direkt neben die schniekeligen Vectras und Calibras. Aber die Firma Opel muß dann wenigstens dafür sorgen – und es auch nachweisen –, daß Vorprodukte wie Achsen, Polster, Karosserieteile oder was immer teilweise aus der *DDR* bezogen wurden. Dem weltweiten Quoten-Kampf im Automobilbau ist dieser Vorschlag übrigens entnommen. Sowohl die EG wie vor allem aber auch die USA fechten seit längerem Wirtschafts-Batailles darüber aus, ab wann und zu wieviel Prozent ein Wagen als heimisch produziert gilt und damit begünstigt ist bei Zöllen oder Einfuhrbeschränkungen.
Es sind dabei jede Menge nützlicher praktischer Erfahrungen angefallen, auf die zurückgegriffen werden könnte, wenn eine solche Regelung auch im deutsch-deutschen Verhältnis zu implementieren wäre. Dabei ist in den Fällen mit unterschiedlichen Teilnehmerstaaten die Gemengelage sogar viel komplizierter. Japanische Konzerne mit Produktionsstätten in den USA oder amerikanische mit solchen in Japan, die jeweils Teile auf der gegenüberliegenden Seite des Pazifiks herstellen lassen, das Endprodukt woanders montieren, um das ganze wieder zu exportieren, scheinen eine Kontrolle solcher Quo-

ten fast zu verunmöglichen. Trotzdem wird damit international recht erfolgreich gearbeitet. Und ein ähnliches Procedere könnte entsprechend auch in Deutschland für Waren aller Art reüssieren. Dem Einzelhändler würde etwa via Großhandel von den Erzeugern auf einer Bescheinigung mitgeteilt, welche Waren direkt aus der *DDR* stammen oder wieviel Prozent Vorleistungen beziehungsweise Abschreibungen von Maschinen indirekt von dort bezogen wurden. Dieses Bündel an Papieren reicht er seinem Finanzamt weiter zum Nachweis der Erfüllung seiner Abnahmepflicht.

INTER-SHOPPING
FÜR DEUTSCHLAND!

In einem Gesetz muß dazu festgelegt sein, welcher Schwellenwert als ›ausreichend‹ angesehen wird und wieviel es kostet, diesen zu verfehlen. So könnten zum Beispiel 15% des Umsatzes einer West-Firma einen ersten Richtwert an Bezugs-Verpflichtung für die nächsten zwei oder drei Jahre bilden. Das ist etwas mehr als die Einwohnerrelation zwischen West und Ost beträgt, multipliziert mit dem vermuteten Produktivitätsabstand. Sind die Sätze der im Falle des Nicht-Genügens zu errichtenden Abgabe an den Staat – oder besser noch an den famosen Fonds zur deutschen Einheit – nur hoch genug angesetzt, wird sich das Verhalten der zögerlichen West-Investoren schnell ändern.
Sie werden zumindest versuchen, einfache Lohnaufträge drüben zu plazieren und nicht weiter allein auf die Baisse setzen. Denn das Nichtstun und weitere bloße Abwarten kostete dann bares Geld, während ein Engagement drüben trotz eventueller Anlaufverluste sich über die Jahre rechnete. Trotzdem bleibt diese Variante der Überlebenshilfe dank ihres notwendigen bürokratischen Aufwandes gegenüber den historisch verwirkten Vorteilen

einer eigenen *DDR*-Währung, oder so diese nicht mehr möglich war, doch wenigstens einer weiteren Zollgrenze nur eine Third-Best-Lösung. Aber auch das bedeutete einen Fortschritt im Vergleich zum deliranten Mut zum Worst-Case-Handeln der gegenwärtigen Regierungen im Osten und Westen Deutschlands.

Treue Hände – leere Kassen

Ob mit – wie die Vernunft rät – einer solchen Einbindung der westdeutschen Industrie als institutionalisierte Abnehmer oder ohne – wie die Erfahrung leider zu vermuten lehrt –, eine ungewöhnliche Belastung der Staatshaushalte wird schon für die nächste Zeit auf keinen Fall zu vermeiden sein. Es ist müßig, an dieser Stelle die in den Medien bisher zitierten Schätzungen über die sich fast täglich verbreiternden Finanz-Schluchten en détail zu wiederholen. Zumal sie sich praktisch von Woche zu Woche verändern und einfach von zuvielen politisch gesetzten Prämissen abhängig sind, um dauerhafte Prognoseeigenschaften zu entfalten. Ähnlich wie in der Novemberrevolte die Worte im Munde veralten heute die Zahlen über die *DDR*, kaum daß sie auf dem Papier oder den Bildschirmen erscheinen.

Als ausreichend werden die in den Verlautbarungen zum Staatsvertrag I genannten Größen an West-Zuschüssen von niemanden mehr gesehen. Auch ohne daß bisher nur eine müde Mark in die als so dringlich angesehenen Infrastrukturmaßnahmen investiert wurde, laufen die Kosten der Bonner schnellen Truppe noch hurtiger davon. Knapphalten wollten sie von dort die *DDR*, an streng rationales Wirtschaften im Kapitalismus gleich gewöhnen. Aber verkalkuliert haben sie sich selbst dabei in solchen Dimensionen, daß ihnen ein Ehrenplatz am Schand-

pfahl planwirtschaftlicher Fehlberechnungen eingeräumt werden sollte.
Sicher spielte der nahende Wahltermin dabei eine große, vielleicht auch die entscheidende Rolle. Aber als pure Kosmetik für die Jahresend-Schlacht wird man die massive Unterschätzung des Finanzbedarfs nicht einmal interpretieren dürfen. Dazu mußte der Offenbarungseid zu früh und zu öffentlich geleistet werden. Die Herren haben mit dem Vertrauen in die Wunderkräfte des Kapitalismus und seines Mighty Money wohl nicht nur andere, sondern auch sich selbst getäuscht. Hätten die Spitzen der zuständigen Ministerien doch wenigstens einmal beim alten Friedrich List nachgelesen, wie wenig echte Konkurrenz herrschen kann zwischen zwei Wirtschaftsgebieten unterschiedlicher Produktivitätsstufe, statt nur bei der konservativen wirtschaftspolitischen Vereinigung mit seinem Namen wohltönende und unverbindliche Festvorträge zu halten.

MEHR LIST UND
WENIGER TÜCKE IN BONN!

Ins Blaue hinein und damit zu gering geraten hat man eigentlich überall: den Finanzbedarf der Sozialversicherungen unterschätzt, den der Treuhandstelle und den des Staates auch. Wie man vor allem auf die Idee verfallen konnte, daß die Zahl der nicht aus Firmeneinnahmen zu finanzierenden Unterhaltsleistungen der Erwerbstätigen schon nach wenigen Monaten nicht mehrere Millionen Personen betreffen würde, muß auf ewig ein Rätsel bleiben und wird wohl auch in Jahrzehnten Stoff für wirtschaftshistorische Tagungen liefern. Gleich, ob man es nun mit Arbeitslosenunterstützung tituliert, Kurzarbeitergeld oder Lohnzuschuß seitens der Treuhandstelle, irgendwo auf der staatlichen Kostgängerseite mußten die Menschen ja auftauchen, die nach der Währungsunion

und der Öffnung der Grenzen nicht mehr das produzieren würden, wonach so offensichtlich kein Bedarf mehr herrschte.
Ebenfalls nichts Überraschendes enthält der Anstieg des Defizits der anderen Sozialversicherungen. Denn sie sind wie in der Bundesrepublik abhängig von Beiträgen, die sich nach den Lohnausgaben richten. Wenn diese dank Kurzarbeit und Entlassungen jedoch erheblich niedriger ausfallen als eingeplant, kommt es zu roten Zahlen. Dazu schien man bei weiteren kritischen Ausgabeposten seitens der Bonner Beamten einfach in der Eile den Überblick verloren zu haben. War es zum Beispiel wirklich nicht vorhersehbar, daß die Ärzte der *DDR* – zum erstenmal in ihrem Berufsleben von Pharmavertretern hofiert – selbstverständlich nach der Währungsunion sofort die – vielfach so teuren – westlichen Arzeneyen verschreiben würden? Man hätte doch den Kollegen Blüm vertraulich mal fragen können, welche Erfahrungen er bisher so gemacht hat mit den Medikamentenausgaben und der Kooperationsbereitschaft der Pharmaindustrie bei Kostendämpfungsmaßnahmen.
Finanzieren lassen sich die nun auflaufenden Extra-Kosten für die Express-Einigung wie alle sonstigen Staatsausgaben auch auf die bekannten Weisen: Einsparungen im Haushalt an anderer Stelle, Ausdehnung der Kreditaufnahme, Steuererhöhungen oder Verkauf von Staatseigentum. Über die erste Möglichkeit müssen nicht allzuviel Schriftzeichen verloren werden. Da es bisher nicht einmal möglich schien, die Subventionen für Berlin und das Zonenrandgebiet schon 1990 wegfallen zu lassen, geschweige eine größere Kürzung des Militärhaushaltes vorzunehmen, sollte man mit kurzfristigen drastischen Erfolgen hier nicht rechnen. Der Bundesfinanzminister will etwa über fünf Jahre verteilt 20 Mrd. DM Minderausgaben erwirtschaften und dem Fonds zur deutschen Einheit gutschreiben. Nur geringfügig höher vermuten andere die Grenze. Auf bescheidene 6 Mrd. DM schätzt zum Beispiel das Rheinisch-Westfälische Institut für

Wirtschaftsforschung das Einsparungspotential im Bundeshaushalt, das »ohne wesentliche Änderungen der politischen Prioritäten« erreicht werden könnte.

Große Anteile der öffentlichen Budgets sind nämlich festgelegt – etwa in Form der Personalkosten –, und auch gutgemeinte Aktionen ziehen oft zuerst sogar Zusatzausgaben nach sich, bevor sie den erwünschten Effekt zeigen. Nicht einmal ein Rüstungshaushalt kann von heute auf morgen halbiert werden, ohne dadurch wieder kostspielige Bremsspuren zu hinterlassen. Daß ›in the long run‹ natürlich jeder Haushalt Kürzungsmöglichkeiten enthält, ist finanzwissenschaftliche Binse – politologische ist indessen auch, daß der sparverhindernde Lobbyismus getroffener Interessengruppen in der Zukunft keinen geringeren Einfluß ausüben wird als es der heutige tut. Für eine Prognose sicher dürfe bei diesem Zeithorizont sowieso nur der eigene Tod gelten, ließ Lord Keynes einst vorwitzigen Zukunftsrechnern ausrichten.

Für jede in aktuelle finanzielle Not geratene Regierung bleibt deshalb die Staatsverschuldung schnellstes Allheilmittel. Als deus ex machina löst sie die Probleme jetzt und sogleich, ohne daß dies gegen den Widerstand einer anderen einflußreichen oder auch nur lautstarken Gruppe explizit durchgesetzt werden muß. Die Rückzahlung erfolgt dann so viel später, daß gewöhnlich eine andere Politikgeneration sich damit herumschlagen muß, oder doch die Urheber dafür längst kollektiv amnesiert wurden.

Dieser Verlockung eine Grenze zu setzen, ist der Art. 115 in das Grundgesetz eingefügt. Er verbietet, daß die Neuaufnahme von Krediten die Summe der öffentlichen Investitionen überschreitet. Nicht der einfache Konsum der Jetztzeit, sondern nur die zur Bewältigung von Zukunftsaufgaben notwendigen Mehrausgaben sollen durch Schulden gedeckt sein dürfen. Die Vorschrift schließt auch den neuen Fonds zur deutschen Einheit ein, insofern die Tilgung seiner Anleihen von der Bundesregierung garantiert ist. Damit würde diese Regierung schnell

an die Grenzen weiterer Kreditaufnahmen stoßen. Allerdings sagt Art. 115 auch: »Ausnahmen sind nur zulässig zur Abwehr einer Störung des gesamtwirtschaftlichen Gleichgewichts.« Und wer will eine solche nach dem formellen Beitritt der *DDR* noch zu bestreiten wagen? Ökonomische Gesetzmäßigkeiten lassen sich weniger leicht umgehen. Geldmärkte reagieren sofort auf eine vermutete Nachfrage-Steigerung. Um mehr als ein gutes Prozent wurden die DM-Zinssätze gleich seit Jahresbeginn gelupft, obwohl damals noch keine einzige Anleihe zugunsten der Einheitsfinanzierung auf den Weg gebracht worden war. Es bleibt eben nicht ohne Folgen, wenn sich die Nettoneuverschuldung der Gebietskörperschaften – also Bund, Länder, Gemeinden – 1990 mit bisher geplanten 80 Mrd. DM gleich vervierfachen soll im Vergleich zum Jahr zuvor. Ungefähr neun Prozent erreicht deshalb zur Zeit die Rendite der festverzinslichen Anleihen, ein bei der gegenwärtig noch niedrigen Preissteigerungsrate für Geldbesitzer traumhafter Wert und Alptraum für alle Schuldner.
Dieser Zinssatz für DM-Anleihen überschreitet jetzt – höchst untypischerweise – den der amerikanischen Wertpapiere, obwohl deren Inflation die hiesige noch um gut zwei Prozent übertrifft. Man erwartet von seiten der internationalen Vermögensbesitzer also entweder eine Anhebung des Preisniveaus auch in der Bundesrepublik oder eine weitere Inanspruchnahme von Krediten seitens des Staates. Zwar gibt es keinen absoluten Mangel an Kapital, der dies verhindern oder auch nur erschweren würde, ist doch die hiesige Währung zur weltweit zweitwichtigsten nach dem US-Dollar aufgestiegen. Aber preiswert kann das Verfahren nicht genannt werden: Schon heute machen die Zinsausgaben noch ganz ohne *DDR*-Effekt fast 9% des Haushaltes der Gebietskörperschaften aus, oder schätzungsweise 62 Mrd. DM im Jahr 1990.
Zahlen muß die hohen Zinsen wie die Tilgung natürlich am Ende der Steuerzahler. Wieviel das mindestens kosten wird, selbst wenn allein die von der Regierung bis Juli

zugegebenen Anleihen für den Fonds zur deutschen Einheit wirksam würden, mag da erhellend wirken. Nach einer zuerst von Ingrid Matthäus-Maier angestellten Rechnung belaufen sich die in den Fondausgaben enthaltenen Kredite der Jahre 1990 bis 1994 in der Höhe von 95 Mrd. DM, wenn sie mit den gegenwärtigen Zinsen belastet sind, auf einen End-Betrag von insgesamt 275 Mrd. DM. Das macht für die Erwerbstätigen in der Bundesrepublik – also die Gruppe, die via Steuern und Sozialversicherungsbeiträge alle anderen mit Ausnahme der kleinen Klasse müßiggängerischer Rentiers zu unterhalten hat – schon die schöne Summe von über zehntausend D-Mark pro Person.

DRAUFGELEGT FÜR DEUTSCHLAND!

Der Verkauf von jetzt schon nicht mehr volkseigen zu nennendem Vermögen beziehungsweise das Beleihen dieses Staatseigentums im Vorgriff einer Veräußerung ist ein anderer denkbarer Weg zur schnellen Finanzierung der Vereinigung. Denn die Regierung hat sich mit der *DDR*-Einverleibung auch einige Werte gesichert. Und wenn im Moment auch die Treuhandstelle nur als weiterer Kreditnehmer und somit zusätzlich zinstreibend auf dem Kapitalmarkt erscheint, zumindest in etwas ferneren Zeiten kann wohl als sicher gelten, daß aus ihrem Wirken Geld in die gesamtdeutschen Haushalte zurückfließt. Hierauf richten sich viele Hoffnungen und Begehrlichkeiten.
Der Wert dieses Familiensilbers ist jedoch völlig unbekannt. Zwar sind in der *DDR* 6,9 Mill. Berufstätige in dem Kombinatsbereich beschäftigt, aber was dessen Maschinen, Anlagen, Gebäude wert sind nach westlichen Kriterien, steht auf noch nicht beschriebenen Blättern. Das Bundesfinanzministerium nannte zwar noch vor der Währungsunion »nach Schätzungen von *DDR*-Seite« als

Anhaltspunkt mehrere 100 Mrd., drückte aber gleichzeitig sein Mißtrauen aus durch die dann folgende phantasiereiche Größenangabe »DM der *DDR*«.
Das einzige, was als sicher gelten kann, ist die hohe Verschuldung dieser Betriebe. Aufgrund der spezifischen Haushaltsführung früher in der *DDR* wurde ihnen viel von ihren Erlösen wegbesteuert, was sie dann vom Staat aber in Form nomineller Kredite für Investitionen teilweise wieder erhielten. Anstatt nun diese etwas originell zustandegekommenen Schulden zu streichen oder stark zu reduzieren, wurden sie nach Bonner Vorgaben ebenfalls 1:2 umgestellt. Denn sonst wären die Sparguthaben ohne ausreichende Deckung gewesen, was entweder mit der Bundesbank als Stabilitätszerberus zu Konflikten geführt hätte oder zu dem Eingeständnis gegenüber der *DDR*-Bevölkerung, daß die angekündigten Umtauschquoten für Konten etwas unrealistisch waren.

AU FONDS PERDU IN DEUTSCHLAND!

Jetzt sind dafür die Betriebe mit einer Gesamtsumme von 130 Mrd. DM so verschuldet, daß sie von der Treuhand nicht verbürgte Kredite nur schwer von den Banken erhalten. Die Regierung hat sich damit in dem Zielkonflikt Arbeitsplätze/Sparer für letztere entschieden, sei es, um den kleinen *DDR*-Mittelstand gegenüber den Arbeitnehmern zu bevorzugen und aus ihm einen Nukleus eines künftigen Aufschwungs zu formen, oder sei es, weil die monetäre Enteignung durch die Währungsunion offener sichtbar und damit früher politikwirksam gewesen wäre als die jetzt anstehende Expropriation der Arbeitsstellen.
So dürfte es zu lange dauern, bis Bares durch einen möglichen Verkauf in die Kassen der Treuhandstelle fließt, als daß das gegenwärtige Staatsdefizit damit zu beheben

wäre. Neben allem anderen werden übrigens auch bundesrepublikanische Investoren mit Zahlungen zögerlich sein und damit pokern, daß Realtransfers neuer Ausrüstungen Vorrang haben vor Ablösesummen. Und nach aller Erfahrung dürften ihre Forderungen unter einem guten Stern stehen. Man erinnere sich doch nur an die erfolgreichen Verhandlungen finanzstarker Konzerne über Zuschüsse, subventionierte Grundstückspreise und andere Leistungen der öffentlichen Hand bei der Ansiedlung neuer Produktionsstätten, die in den letzten Jahren und bis in die jüngste Zeit hinein Schlagzeilen in der BRD machten.
Auch wird das eventuell eintrudelnde Geld der Treuhandstelle dringend gebraucht in der langfristigen Planung für die Strukturverbesserungen in der *DDR*, wofür es laut den Staatsverträgen auch vordringlich eingesetzt werden soll. Auf etwa 380-470 Mrd. DM schätzt zum Beispiel das Institut für ökologische Wirtschaftsforschung den heute absehbaren Sanierungsbedarf für die Bereiche Energieversorgung, Verkehr, Abfall und Abwasser in der Dekade bis zum Jahr 2000. In einer bemerkenswerten Übereinstimmung kommt auch das Institut der deutschen Wirtschaft – politisch sicher anderen Interessen verpflichtet – für denselben Zeitraum zu einer ähnlichen Summe von 425 Mrd. DM. Wenn ein Zehntel davon jährlich aufzubringen ist, und der *DDR*-Staat oder seine Nachfolge-Länder mit den laufenden Ausgaben schon überfordert und noch einige Zeit auf westdeutsche Zuschüsse angewiesen bleiben, muß die Treuhand allerdings allerlei verkaufen, um dies zu finanzieren.

KEINE UNBILLIGEN REPROPRIATIONEN IN DEUTSCHLAND!

Tatsächlich sieht es jedoch zusätzlich so aus, daß der finanzielle Handlungsspielraum der Treuhandgesellschaft durch westliche Vorgaben noch einmal entscheidend eingeengt wird. Denn als hätte ganz Bonn der schiere Übermut geritten, wird auch noch eine baldige Rückgängigmachung von früheren Enteignungen nach *DDR*-Recht geplant. Diese Grundstücke und Betriebsteile – beziehungsweise ihre Äquivalente – sollen nach den bisherigen Plänen einfach wieder aus der Treuhandverwaltung ausgegliedert und den ehemaligen Eigentümern zurückgegeben werden. Als handlungsleitend muß hier wohl das alte Galbraithsche Wort von dem »privaten Reichtum und der öffentlichen Armut« angesehen werden, denn dadurch vermindert sich das staatliche Vermögen und so auch der potentielle Verkaufserlös.

Nun mag man ja Vorgänge wie Enteignungen unter saturierten Mittel- und Oberständlern für unstatthaft halten in einer ansonsten auf Privateigentum aufgebauten Welt. Aber für die Wiedereinsetzung alter Vermögensrechte von einigen wenigen alle Steuerzahler – also auch die im Westen oder Osten vermögenslosen – zur Kasse zu bitten, ist schon eine Chuzpe ganz eigener Qualität. Denn alternativ stehen als Finanzierungsquelle für die Strukturmaßnahmen sonst nur die öffentlichen Haushalte zur Verfügung. Die Armen in dieser Republik und auch die von nur bescheidenen Einkünften Lebenden werden es recht merkwürdig finden, wenn bisher gewährte Sozialleistungen zur Disposition stehen oder Verbrauchssteuererhöhungen kommen, für die Ent-Enteignung hingegen Milliardenbeträge aufgebracht werden müssen.

Naheliegend und verständlich wäre hingegen eine ›Umverteilung in einer Klasse‹. In einer solchen Solidarität der Besitzenden spielten Wohlhabendere unter sich Versicherungsgemeinschaft zugunsten der einst vom politischen Blitz Getroffenen. Instrument kann dabei etwa eine zusätzliche Vermögensabgabe sein, die solange einen speziellen Topf jenseits der öffentlichen Kassen speiste, bis alle Entschädigungsforderungen daraus bedient wären.

DEUTSCHE BESITZER
STEHN EIN FÜREINANDER!

Welche Form und Finanzierung für die Repropriation auch gewählt werden mag – in keinem Fall dürfen die Originalgrundstücke, -bauwerke oder -betriebe für eine Rückgabe anstehen. Es darf vernünftigerweise nur finanzielle Kompensation geboten werden. Das gute Erbstück dann später legal wiederzuerwerben, stünde ja allen solcherart monetär Bedachten durchaus offen. Nach dem in Bonner Behörden geplanten Rückgabeverfahren weiß dagegen niemand genau, wem was in Zukunft gehören wird. Also bekommen zum Beispiel auch die Betriebe von den Banken keine Kredite, da ihre angebotenen Sicherheiten, die vorwiegend aus Grund und Boden bestehen, eben nicht sicher genug verbürgt sind.
Wieviel die Eigentums-Restauration kosten wird, ist genausowenig präzise zu überschlagen wie der Gesamt-Vermögensbestand der Treuhandstelle. Auskunftsersuchen in Bonn wie in Ost-Berlin lösen nur Achselzucken aus. Aber bei Gründung der *DDR* galten noch über 40% allen Eigentums an Betrieben und Boden als nicht-staatlich. Zum Zeitpunkt der Währungsunion waren es unter 5%. Dazu ist durch das Taktieren der Regierung Kohl im Zusammenhang mit dem Staatsvertrag II nicht einmal sicher, ob die Enteignungen durch die Militäradministration der UdSSR nach 1945 wenigstens Bestand haben oder ob hier eventuell zusätzliche Rückgabeansprüche von Uralt-Besitzern angemeldet werden. Das verdoppelt leicht noch einmal den Schaden, denn die größte Welle der Expropriation fand in dieser Periode statt.

KEINE DEUTSCHE MARK
FÜR SOWJETISCHE ENTEIGNUNGEN!

Ein hübsches Prozessieren wird auf jeden Fall anheben. So schnell kann demnächst in der *DDR* kein Grundstück

mehr den Besitzer wechseln, ohne daß eine einstweilige Verfügung droht. Und plötzlich scheint auch den Verhandlungsführern in Bonn die gewichtige Dimension ihres so leichten Herzens beschlossenen Enrichez-vous-Verfahrens aufzugehen. Und sie haben sich auf die Suche nach Möglichkeiten der Schadensbegrenzung begeben. So ist gegenwärtig mit Ost-Berlin verabredet, den Ausnahmekatalog weit zu fassen, der verhindert, daß Grundstücke zurückgegeben werden müssen, auf denen etwa Straßen oder Mietwohnungen gebaut worden sind. In diesen und einigen weiteren Fällen tritt eine Entschädigungsregelung in Kraft, die – so der schlau geäußerte Gedanke – so niedrig angesetzt wird, daß etwa nur ein Zehntel des heutigen Verkehrswertes an Kosten für den Staat dabei herauskommt.
Bleibt es bei diesem Vorschlag, ist das pure Augenwischerei, ein Verfahren, erfunden, um vom Publikum vor der Wahl geglaubt, von Gerichten danach aber kassiert zu werden. Denn der ehemalige Eigentümer eines Grundstückes A, nichtbebaut, bekäme nach dieser Regelung das Land ohne weitere Pflichten zu seiner freien Verfügung zurück. Der ehemalige Besitzer des Nachbargebiets B, das für irgendetwas genutzt wurde, soll sich aber mit einer sehr niedrigen Entschädigungsleistung zufriedengeben. Jedes darüber angerufene Gericht wird entscheiden, daß hier gleichzubehandeln ist, also auch ›angemessen‹ zu entschädigen sein wird. Und diese Summe wird im Zweifelsfall an Grundstück A gemessen werden, also zuungunsten der Staatskasse höher ausfallen. Er hatte schon recht, der DSU-Abgeordnete mit dem passenden Namen, Schwarz, der in der Volkskammersitzung vom 8.8. forderte: »Beitritt nach Art. 23 des Grundbesitzes.«

Steuern und Gegensteuern

Wenn die Treuhandgesellschaft kaum Aktiva zu erwarten hat und weitere Staatskredite ein höchst teures Verschieben der Kosten in die Zukunft bedeuten, bleibt als vernünftigste Möglichkeit, den steigenden akuten finanziellen Verpflichtungen zu begegnen, eine Ausweitung der Steuereinnahmen. Vorab verzichtet werden muß natürlich auf die von dieser Regierung in den nächsten Jahren eingeplanten Steuersenkungen im Unternehmensbereich. Immerhin waren da Größenordnungen von 25-30 Mrd. DM jährlich angesetzt. Davon bis heute offiziell nicht Abstand genommen zu haben, verursacht innerhalb der ökonomischen Zunft weithin nur noch Kopfschütteln.

Dabei haben die Unternehmen in der Bundesrepublik zur Zeit solche Hilfe nun wirklich nicht nötig, der Staat zusätzliche Einnahmen dagegen umso mehr. In seinem kurz vor der Währungsunion veröffentlichten Szenario zur weiteren Wirtschaftsentwicklung schreibt das Deutsche Institut für Wirtschaftsforschung dazu ungewöhnlich offen: »Die Lohnquote sinkt auf einen historischen Tiefstand. In einer solchen Situation die Nettoverteilung durch eine Einkommenssteuerreform – wie der geplanten Steuerentlastung der Unternehmen – noch einmal zuungunsten der Arbeitnehmer verändern zu wollen, ist nicht nur verteilungspolitisch und im Hinblick auf zukünftige Lohnrunden fatal, sie ist überflüssig.«

Nach der Kumulation schlechter Nachrichten von drüben scheinen etwa 50 Mrd. DM pro Jahr ein realistisches Notopfer darzustellen, die über die etwa 30-40 Mrd. DM schon zugestandenen Zuschüsse aus Bonn hinaus aufzubringen sind. Das sind immens klingende Summen und machen doch in toto für jeden Einwohner der *DDR* nur um die DM 5000 aus. Die sind schnell verbraucht, wenn vielleicht nur noch ein Drittel der Bevölkerung arbeitet – statt wie bisher die Hälfte – und auch das zu Niedrig-Löhnen, die nicht sehr viel an Abzügen zulassen bei dem gegenwärtigen Preisniveau. Mehr als die Hälfte der unterstellten 50 Mrd. Additum scheinen auch schon von selbst einzukommen. Denn ungefähr soviel erwarteten die Steuerschätzer im Mai dieses Jahres für 1991 und 1992 jeweils an Steuermehreinnahmen, die dafür verwendet werden könnten. Bleibt ein noch aufzubringendes Defizit von 20-30 Mrd. DM.

An konkreten Steuererhöhungsplänen ›wg. *DDR*‹ wird in den wirtschaftspolitischen Zirkeln und Gazetten zumeist an die Mehrwertsteuer oder – etwas seltener schon – an die Einkommenssteuer gedacht. Im ersten Fall bringt ein Punkt Zuschlag für den Vollsatz und ein halber für den ermäßigten etwa 10 Mrd. DM in die Kassen. Um den gleichen Betrag via einer Aufstockung der Lohn-, Einkommens- und Körperschaftssteuer zu erreichen, müssen hier schon 4% angesetzt werden. Bei der angesprochenen Größenordnung spricht nach konventioneller Weisheit viel für die Variante Mehrwertsteuer oder für eine Kombination davon mit bestimmten Verbrauchssteuern wie etwa der auf Mineralöl. Beide sind leicht erhebbar, für die Besteuerten dagegen schwer umgehbar und lassen sich dazu argumentativ damit verbinden, daß hier bereits Schritte unternommen werden im Hinblick auf die in wenigen Jahren sowieso nötige Steuerharmonisierung auf EG-Niveau.

Der Nachteil ist die Querbeet-Belastung aller Bevölkerungsteile und die damit verbundene Notwendigkeit, entweder einen Teil der Einnahmen wieder auszugeben für die Erhöhung von Transferleistungen – wie Renten zum Beispiel – oder einen Realeinkommensrückgang am unteren Ende der Einkommenspyramide politisch in Kauf zu nehmen. Das erste mindert die erhoffte finanzielle Wirkung, das zweite dürfte als sehr ungerecht empfunden werden, solange nicht andere Alternativen ausgeschöpft wurden. Denn es bestehen gute Chancen dafür, daß in nächster Zeit das Publikum sich sensibilisieren wird für soziale Not. Zumindest dafür hätte denn der Einigungsprozeß gesorgt mit der zu erwartenden medialen Freihauslieferung zahlreicher drastischer Beispiele.

Warum also unter diesen Bedingungen nicht wieder an etwas denken, das keine neue Steuer bedeutet, sondern nur die Durchsetzung einer bereits bestehenden, nämlich die auf Zinserträge? Das scheint auf den ersten Blick eine reichlich abgenützte Überlegung zu sein, ist doch das Quellensteuer-Debakel in der Bundesrepublik vielen noch in schlechtester Erinnerung. Aber es ist gar nicht ausgeschlossen, daß es sich dabei um eine ›gezielte Insuffizienz‹ gehandelt haben könnte, bei der dem Publikum das Theater einer scheinbaren Unmöglichkeit von Politikgestaltung vorgespielt wird, um einer – den eigenen Parteien wichtigen – Schicht von Geldvermögensbesitzern finanziell nicht zu schaden, ohne zugleich Gefahr zu laufen, dafür am Wahltag eine Quittung von der weniger wohlhabenden Bevölkerungsmehrheit zu erhalten. Natürlich wird am Anfang der Überlegungen ein fiskalisches Interesse geherrscht haben. Auf der Suche nach neuen Einnahmequellen für die Staatskasse rückte den Beamten des Finanzministeriums wieder einmal der Skandal ins Auge, daß ein erheblicher Teil der Zinseinkünfte in der Bundesrepublik nicht den Finanzämtern angegeben wird und somit unversteuert bleibt.

Praktisch risikolos möglich ist diese vermutlich weitverbreitete Steuerhinterziehung durch die Konstruktion eines ›Bankgeheimnisses‹, das den Finanzämtern vorschreibt, prinzipiell von der Steuerehrlichkeit der Geldbesitzer auszugehen, Geldhäuser also nicht zu Auskünften aufzufordern und nicht einmal Informationen zu verwerten, die ihnen etwa im Rahmen der Überprüfung des Geschäftsgebarens von Banken bekannt werden. Bis vor kurzem war das übrigens nur als Erlaß des Ministeriums geregelt, wurde dann jedoch mit der zeitweisen Inkraftsetzung der Quellensteuer gesetzlich verankert. Und blieb natürlich unangetastet, als die Quellensteuer kurz nach der Einführung unter heftigen Querelen wieder abgeschafft wurde.

Man hatte von seiten der Regierung tatsächlich alles getan, damit es ein Fiasko wurde. Kleinsparer waren aufgeschreckt von den nach wie vor niedrig angesetzten Freibeträgen, Wirtschaftswissenschaftler kritisierten das hochbürokratische Verfahren, Juristen eine überaus großzügige Amnestieregelung für langjährige Hinterziehung, die bisher steuerbefreiten Kommunen protestierten, daß sie plötzlich zahlen mußten, aber nichts von der neuen Steuer erhalten sollten. Und den Banken wurde nicht untersagt, für von ihnen betreute Anlagen im Ausland so erfolgreich zu werben, daß ein Dutzende von Milliarden schwerer Kapitalstrom die Flucht vor der Steuer suchte, wobei in der Folge dann in der Bundesrepublik die Zinsen für DM-Anleihen stiegen, während sie im Ausland konstant blieben. Da der Staat wiederum im großen Maß auf Kredite selbst angewiesen ist, mußte er nun höhere Kosten dafür aufwenden und – zusammen mit den hochdimensioniert angesetzten Ausgaben für das geplante neue Zentralamt – schien der Ertrag der Quellensteuer jetzt kaum noch des Aufwandes wert. Von wenigen hundert Millionen DM Nettoergebnis war nun die Rede.

Denn man hatte ja auch nur einen Ansatz von 10% auf Zinsen geplant. Soviel sollten die Banken direkt und anonym an die Finanzämter abgeben, und was darüber hinaus noch zu zahlen gewesen wäre, durfte jeder Kapitalbesitzer wieder freiwillig der Steuerbehörde melden. Da der Spitzensteuersatz bei der Einkommenssteuer bei 53% liegt, war abzusehen, daß weiter manches beträchtliche Einkommen am Finanzamt vorbei geschleust würde. Schon vor Jahren schätzte man die gesamten dem Staat dadurch entgangenen Einnahmen auf bis zu 20 Mrd. DM. Solche Zahlen sind immer umstritten, da sie illegales, also notwendig im Verborgenen verbleibendes, Verhalten betreffen. Aber eine kleine praktische Überlegung vermag die ungefähre Größenhinterziehung dieser Form von Steuerhinterziehung zu illustrieren. Allein die Summe der eindeutig dem Finanzamt zu meldenden zinsbringenden Posten Spareinlagen und -briefe, festverzinsliche Wertpapiere, Termingelder beträgt in der Bundesrepublik zur Zeit über 1460 Mrd. DM. Unterstellen wir einen bescheidenen durchschnittlichen Zinssatz von 6%, folgen daraus jährliche Zinszahlungen von etwa 88 Mrd. DM.

DEUTSCHES STEUERRECHT FÜR DEUTSCHE ZINSEN!

Bekannt ist ferner, daß nicht nur das Produktiv-, sondern auch das Geldvermögen stark ungleich verteilt ist. So wurde etwa von Tiepelmann und Dick berechnet, daß die gesamte untere Einkommenshälfte der Bundesbürger nur etwa 3½% allen Geldes hält, während umgekehrt die kleine Schicht der obersten 3½% der Bevölkerung allein schon etwa 30% davon ihr eigen nennen. Es scheint deshalb ganz realistisch, selbst bei einer größeren Ausweitung der knickrigen Freibeträge einen durchschnittlichen Steuersatz von mindestens 30% anzunehmen, der bei der Erfassung aller Zinseinkommen zustandekäme. Dies würde für den Staat Einkünfte von über 26 Mrd. DM bedeuten, von denen heute über nur ein Bruchteil freiwillig einkommen. Zum Vergleich: 22 Mrd. DM sind der Betrag, den Finanzminister Waigel dem Staatshaushalt der *DDR* nach der Währungsreform ursprünglich für das Jahr 1990 zukommen lassen wollte. Und 20-30 Mrd. DM war auch das angenommene Defizit, das pro Jahr gedeckt werden sollte.
Noch eine erhebliche Steigerung der Einnahmen aus Zinseinkünften wäre zu erwarten, wenn auch das im dreistelligen Milliardenbereich zu vermutende Geldvermögen, das von deutschen Staatsbürgern im Ausland angelegt wurde, für eine Besteuerung herangezogen werden könnte. Dies verlangt jedoch eine enge internationale Zusammenarbeit der Steuerbehörden, eine vielleicht unter rechtspolitischen Gesichtspunkten auch problematische Forderung. Denn die Warnung, die Vertraulichkeit des

Bankgeheimnisses nicht unnötig zu verletzen, ist nicht vorschnell zurückzuweisen. Zwar unterliegen auch das auswärtige Vermögen und seine Erträge der Steuerpflicht am Wohnsitz. Und es darf weiter als sicher gelten, daß nur eine bestimmte Schicht solche Auslandskonten besitzt, deren Mitglieder wiederum vor allem deswegen solche Anlagen wählen, da dadurch die Gefahr eines Nachweises ihrer Steuerhinterziehung minimiert wird. Ein hübscher Beleg konnte dafür während der kurzen Lebensgeschichte des letzten Quellensteuerversuchs gefunden werden. In den drei Monaten ihres Geltens – Januar bis März 1989 – flossen etwa 35 Mrd. DM zusätzlich in das sichere Ausland ab.

Aus den Diskussionen der letzten Jahre haben wir jedoch auch gelernt, daß ein Aufheben des Datenschutzes für persönliche Daten jeder Art einer sehr genauen Begründung bedarf, sowie, daß ein Staatswesen, das in der ökonomischen Sphäre direkte Macht ausüben kann, den Individuen gegenüber sich meist despotischer verhält als eines, das sich auf die politische Sphäre beschränkt. Ein Bankgeheimnis kann also durchaus dazu beitragen, daß staatliche Macht und ihre Mißbrauchsmöglichkeit beschränkt werden. Es darf umgekehrt aber schon aus Gründen der Gleichbehandlung natürlich keinen Freibrief für strafloses Steuerhinterziehen bedeuten, da ja auch das Einkommen aus Arbeit sehr weitgehend steuerlich überwacht und erfaßt wird. Von einem ›Arbeitsstellengeheimnis‹ gegenüber den Finanzämtern war noch nie die Rede.

EURO-ERMITTLER FÜR DEUTSCHLAND!

Darum läßt sich die Forderung nach einer vollständigen und auch international abgesprochenen Erfassung von Zinseinkünften dann vertreten, wenn zwei Bedingungen erfüllt sind: Es muß erstens sichergestellt sein, daß keine

Diktaturen an einem solchen Informations-Pool partizipieren, damit also keine politisch begründeten Pressionen an dort lebenden Wohnbürgern ausgeübt werden können. Das ist für die interessanten Kapitalsammelstellen wie die EG, Japan, USA, Schweiz, Österreich etc. erfüllt. Als zusätzlichen Schutz bedarf es zweitens des Rechts auf Geheimhaltung der Höhe und des Aufenthaltsortes des Geldvermögens. Den Finanzämtern dürfte von den Banken und anderen Finanzinstitutionen nur gemeldet werden, wieviel Zinsen eine Person in einem Jahr eingenommen hat, nicht aber, wo das Konto oder Wertpapierdepot sich befindet und welche Papiere es enthält.
Erreicht werden kann das zuerst einmal im Rahmen der EG durch ein System von Kontrollmitteilungen, mit nationalen Ämtern und einer Clearing-Stelle. Alle Zinseinkünfte im Inland würden von den Banken ausschließlich der jeweiligen Länderstelle gemeldet, die einmal im Jahr zusammen mit der Auskunft über die von der internationalen Zentrale übermittelten eventuellen Summe an Einnahmen aus auswärtig unterhaltenen Konten dann für das heimische Finanzamt einen Sammelnachweis über nur die Gesamtsumme ausstellt. Details werden den Ämtern nicht mitgeteilt.
Auch Nicht-EG-Staaten sollten zu diesem Verfahren eingeladen werden, wenn mit ihnen ein Doppelbesteuerungsabkommen besteht – wie etwa zwischen der Bundesrepublik und den USA – und sie diktaturunverdächtig sind. Weiter sollte die Wahrung der Vertraulichkeit festgeschrieben werden, so daß darüber hinausreichende Auskünfte an staatliche Stellen zumindest im internationalen Bereich untersagt wären oder doch besonders strikter gerichtlicher Anordnung und Überprüfung unterlägen.
Die meisten anderen westlichen Länder dürften eine solche Initiative der Bundesrepublik sehr dankbar aufgreifen. Nicht nur, daß sie, soweit sie in der EG sind, wegen der deutschen Einigung ungefragt etliche Milliarden mehr an Agrarstützungen und Regionalfonds-Mitteln

zahlen dürfen. Dazu besitzen doch fast alle Mitgliedsstaaten der Europäischen Gemeinschaft entweder schon eine Quellensteuer von ca. 10-35% auf Zinsen oder – wie Frankreich, Dänemark und die Niederlande – das noch viel präzisere Instrument einer Kontrollmitteilung an das Finanzamt. Quellensteuern kennen auch Japan, die Schweiz und Österreich, handfeste Kontrollmitteilungen wieder die USA und Kanada. Weder das eine noch das andere sind allein in der Bundesrepublik und in Luxemburg zu finden. Für Steuerhinterzieher aller Länder sind das entsprechend gesuchte Finanzplätze, für die anderen Staaten ein höchst ärgerliches Steuerdumping.
Und man will uns doch nicht weismachen, daß das letzeburgische Großherzogtum nicht zu überzeugen wäre, sich einem deutschen Umschwenken in dieser Frage anzuschließen? Schon der Hinweis, daß die sehr großzügigen Aufsichtsregeln gegenüber deutschen Banken betreffs ihrer luxemburgischen Töchter nicht für die Ewigkeit in Stein gemeißelt sein müssen, dürfte dort einen neuen Meinungsbildungsprozeß auslösen. Und auch Österreich wird seine Unsitte der Nummernkonten zumindest für EG-Bürger gerne aufgeben, wenn eine freundliche Behandlung seiner Positionsprobleme gegenüber der Gemeinschaft in Aussicht gestellt wird.
Dazu muß ein gegenüber Einzelnachweisen anonymisiertes System von Kontrollmitteilungen solchen Steuerfluchtburgen viel angenehmer erscheinen als internationaler Druck zur Einführung einer spürbaren Quellensteuer. Denn das letztere wirkt nach einem Rasenmäherprinzip, das auch die umworbenen Anlagen der Despoten der dritten Welt erfaßt. Die Anwendung des anderen Prinzips beruht dagegen auf jeweiligen vorher abzuschließenden zwischenstaatlichen Vereinbarungen, ein Prozeß komplizierter Verhandlungen, der sich lange, lange, lange hinzuziehen vermag, wenn er denn überhaupt von vielen Staaten Afrikas, Lateinamerikas und Asiens gesucht wird.
Mit dieser bundesrepublikanischen Regierung allerdings

wird eine Neuordnung kaum zu schaffen sein. Denn die hat gerade erst den schon weitgehend ausgehandelten Kompromiß, auf EG-Ebene wenigstens zunächst eine kleine einheitliche Quellensteuer zu vereinbaren, bockig blockiert. Wer will es sich wegen einiger lumpiger Dutzend Milliarden DM Einnahmen pro Jahr und dem klein bißchen Steuergerechtigkeit schon mit seiner Klientel verderben? Sollen doch die anderen Länder auf die Anwendung ihrer Gesetze verzichten, wenn wir es schon so erfolgreich vormachen. »›Mit uns gibt es weder im nationalen Raum noch auf europäischer Ebene irgendeine Form von Quellensteuer oder Kontrollmitteilungen‹, sagte Waigel unter dem Beifall der Steuerberater«, meldete die Wirtschaftszeitung »Blick durch die Wirtschaft« am 16. 11. 1989 in einem Bericht vom Deutschen Steuerberatertag – unter dem koketten Titel ›Steuervermeidung und Steuergestaltung stehen hoch im Kurs‹.

Der Nationale Investitions-Fonds

Staatliche Mittel, so wichtig sie auch sind, reichen bei weitem nicht aus für das Flottmachen der havarierten *DDR*-Ökonomie. Natürlich muß ein ordentlicher Kapitalismus, so er denn dort so heftig gewünscht wird, privates Kapital anziehen. Und ebenso gewiß ist, daß dieses Geld nicht aus den Sparstrümpfen einer ex-sozialistischen Bevölkerung mit starken PS-Gelüsten kommen kann, sondern aus dem Westen stammen muß, dort, wo es seit Jahrzehnten gepflegt akkumuliert wurde. Es nach drüben zu bringen, kann sich aber wieder als teuer darstellen für die öffentlichen Hände. Von allen gesellschaftlichen Verpflichtungen freies Kapital hat ein überaus scheues Wesen, es vermeidet zwielichtige Risiken und will erst gelockt und dann gehätschelt werden. Wobei

sein Preis um so höher steigt, je begehrter sein Erscheinen ist.
Dieser Grundregel eilfertig willfahrend hat darum die Bundesregierung im Frühsommer 1990 gleich eine Zulage von 12% für Investitionen im Osten Deutschlands beschlossen. In anderen Worten, eine Anschaffung zur Produktion dort wird mit nicht wenig barem Geld vom Staat belohnt. Es will bloß noch keiner zu diesen Tarifen anbeißen, scheint es. Von Zonenrand- bis Berlinförderung war man besseres gewohnt. Geschickte Finanzplaner in den West-Firmen warten ab in der Gewißheit, daß das Angebot nur noch steigen kann in naher Zukunft. Denn je finsterer sich die ökonomische Situation in der *DDR* darstellt, um so mehr wird jede Regierung bereit sein, den Einsatz privaten Kapitals zu subventionieren. Da Bonn schon sehr nervös wird, ist auch die Verdoppelung der Prämie bereits ins Gespräch gebracht, von einem Bundeswirtschaftsminister freilich, der selbst ungefähre Schätzungen über die solcherart entstehenden Kosten nicht preisgeben will.
Es gibt dazu auch Alternativen. Will der Esel nicht die gebotene Karotte akzeptieren, muß eben der Stock zur Hilfe genommen werden. »Ich glaube, daß wir zu einer gemeinsamen vernünftigen Entscheidung kommen müssen über den Umfang, in dem das Sparen innerhalb einer Gemeinschaft erwünscht ist, und über den Umfang, in dem diese Ersparnisse im Ausland angelegt werden sollen; ferner darüber, ob die heutige Organisation des Anlagemarktes die Ersparnisse in der für die Nation produktivsten Art verteilt. Ich glaube, man sollte diese Dinge nicht ganz und gar dem Zufall der privaten Entscheidung und des privaten Gewinns überlassen, wie es heutzutage der Fall ist«, formulierte schon Lord Keynes 1926 seine Lehren aus den damaligen, und im Vergleich zu heute äußerst bescheidenen, Tendenzen zur Internationalisierung des Kapitals.
Ein Gegenprogramm zu dem – für die westlichen Steuerzahler sehr teuren und für die *DDR*-Erwerbstätigen im

Wartestand genauso nervenaufreibenden – Verfahren einer sukzessive immer wieder zu steigernden Investitionsanreizung wäre eine gesetzliche Verpflichtung für Wirtschaftsunternehmen zur Ausführung eines bestimmten Umfanges von Sachinvestitionen. Am Geld dafür würde eine solche Bestimmung gewißlich nicht scheitern, das ist auf seiten der potentiellen Kapitalanleger mehr als genug vorhanden. Als rechte Dukatenesel stellen sich die Unternehmen heute dar. In ihrem letzten Monatsbericht zu dem Thema ›Ertragslage‹ vom November 1989 schreibt etwa die der Übertreibung in dieser Richtung gänzlich unverdächtige Bundesbank: »Nicht nur die weitere Zunahme der Gewinne, sondern auch die dahinterstehenden Veränderungen in den Erfolgsrechnungen und Bilanzen sind Beleg für die außergewöhnlich gute Finanzsituation der Unternehmen.«

Die Geldschwemme ist nicht allein der Allerweltserklärung einer anhaltend guten Konjunktur und moderater Lohnforderungen während der letzten Jahre zu verdanken. Schon lange zuvor gelang es den Firmen – vor allem den größeren –, unter exzessiver Ausnützung der zu ihrem Vorteil veränderten Steuergesetze und -verordnungen ihre Liquiditätsposition entscheidend zu verbessern. Sie konnten Reserven großen Umfangs aufbauen und hatten Kredite von außen selbst in der Krise immer weniger nötig. Demonstrieren läßt sich das etwa anhand der Aktiengesellschaften der verarbeitenden Industrie, bei denen der Anteil von Bankkrediten und Anleihen am Kapital in den wirtschaftlich durchaus problematischen zehn Jahren von 1974 bis 1984 sich mehr als halbierte.

Möglich wurde dies, da in der Bundesrepublik sehr umfassende und freizügige gesetzliche Regelungen gelten, die den Abzug diverser unbestimmter Ausgabeposten von den Erlösen erlauben, dadurch den steuerpflichtigen Gewinn entscheidend mindern, diese Beträge aber den Unternehmen zur freien Nutzung belassen. In der verteilungspolitischen Argumentation wird dann nur mit den – international relativ hohen – Steuersätzen operiert, die –

vergleichsweise geringe – tatsächliche Steuerbelastung von Unternehmen aber unterschlagen.
In einer für das Bundesministerium für Wirtschaft erstellten – und von dort nach Bekanntwerden der Ergebnisse heftig angefeindeten – Studie haben Seidel u. a. vom Deutschen Institut für Wirtschaftsforschung 1989 anhand gleichartiger typischer Modellunternehmen für verschiedene Branchen und für sieben Industrieländer gezeigt, wie die Bundesrepublik so von einem theoretischen Hochsteuerland in ein faktisches Niedersteuerland sich verwandelt: »Bei einem merklich niedrigeren Betrag an gezahlten Unternehmenssteuern als in den meisten anderen Ländern erscheint die Bundesrepublik für die Modellunternehmen unter Verwendung der Bezugsbasis ›Gewinn vor Steuern‹ als ein vergleichsweise ungünstiger Standort. Dieses Ergebnis kommt paradoxerweise gerade deshalb zustande, weil die Unternehmen in der Bundesrepublik gegenüber einer Reihe anderer Länder in stärkerem Umfang hinsichtlich Abschreibungen und Rückstellungen steuerlich günstigere Regelungen in Anspruch nehmen können. Damit wird eben nicht nur die Bemessungsgrundlage zur Ertragsbesteuerung, sondern zugleich auch die Bezugsbasis für die Berechnung der Quote Steuerlast zu Gewinn vor Steuern verringert, so daß die Bundesrepublik hier in ungünstigem Licht erscheint.«
Vor diesem Hintergrund wäre es wenig einträglich, eine mögliche Investitionsverpflichtung an die griffige Größe der Gewinne zu koppeln. Erst die nach buchhalterchinesisch klingenden Abschreibungen und Rückstellungen führen zu den wirklich großen Goldtöpfen. Die ersteren betreffen dabei angenommene Kosten für die Abnutzung von Maschinen, Anlagen und Bauten. Kauft ein Unternehmen zum Beispiel ein Gerät, dessen Einsatz über eine längere Zeit geplant ist, so kann es jedes Jahr einen Teil dieser Ausgaben gegenüber dem Finanzamt als abzugsfähig geltend machen. Die Abschreibungen unterliegen einer steuerpolitischen Gestaltung sowohl in der Höhe wie der Zeitdauer, wie der Verteilung über die Zeit. Je mehr

Kapital von seiten des Staates in Investitionen gelockt werden soll, desto größere Gelegenheit wird seinen Finanzmanagern gegeben, Gewinne zu Verlusten umzufrisieren. Um so kürzer wird dann die Lebensdauer angesetzt, um so stärker darf ein Wirtschaftsgut am Anfang höher als danach abgeschrieben werden.
Rückstellungen können ebenfalls vom Erlös abgezogen werden, betreffen aber potentielle Ausgaben in der Zukunft. Es gibt in der Bundesrepublik eine große Anzahl davon, aber in ihrem Umfang besonders bemerkenswert sind Rückstellungen für drohende Verluste und – bedeutender noch – für Betriebspensionen. Tritt der vorgebrachte Anlaß der Rückstellung nicht ein, muß der Posten nach einer gewissen Frist ganz normal steuerpflichtig wieder aufgelöst werden. In der Zwischenzeit realisiert das Unternehmen jedoch Erträge aus der Anlage dieses Kapitals, während es bei der möglichen Alternative – einer Aufpolsterung der aus dem versteuerten Gewinn zu bildenden Rücklagen – mit 50% Körperschaftssteuer zu kalkulieren hätte.
Und da es oft viele Jahre – und bei Pensionsrückstellungen auch Jahrzehnte – dauert, bis sich der angegebene Anlaß für eine Rückstellung erledigt hat, sind extrem hohe Ansätze genauso wie bei den Abschreibungen auch hier bei all den Unternehmen beliebt, die sich einer guten Gewinnsituation erfreuen. Sie schieben einen ›Berg‹ von Rückstellungen vor sich her, und der abzutragende Teil wird sofort wieder mit neuen Begründungen aufgefüllt. Mit den anfangs nicht-gezahlten Steuern läßt sich vortrefflich arbeiten und ein weiteres Wachstum finanzieren.

RISIKO STATT KASKO
FÜR DEUTSCHE UNTERNEHMER!

In der Summe ergibt dies dann in den Bilanzen zum Teil groteske Bewertungen. Welzk, der sich vor einiger Zeit um diese Fragen verdient gemacht hat, zitiert eine Reihe

namhafter Beispiele dafür, von denen zwei herausgegriffen seien: »Der Siemens Vorstand sieht offenbar die Gesamtheit der Geschäftspartner unmittelbar vor der Pleite. Denn seine Risikorückstellungen übertreffen die Summe aller Forderungen aus Lieferungen und Leistungen bei weitem. Astronomische 14,2 Mrd. DM hat das Unternehmen steuerfrei zur Risikoabdeckung reserviert... Die unter diesem Titel der Firma Siemens gewährten Steuervergünstigungen übertreffen den Gesamtetat des Bundesministeriums für Forschung und Technologie oder die gesamte staatliche Entwicklungshilfe der Bundesrepublik im Jahre 1985...
Die Robert Bosch GmbH schließlich hat sich geradezu gegen eine kosmische Katastrophe gesichert. Sie ist darauf vorbereitet, den Verlust aller Maschinen, Anlagen, Gebäude und Grundstücke und die plötzliche Pleite sämtlicher Geschäftspartner zugleich ohne finanzielle Erschütterungen zu überstehen. Denn ihr Fettpolster sogenannter Risikorückstellungen übersteigt die Gesamtsumme aus dem Sachanlagevermögen, den geleisteten Anzahlungen und allen Forderungen aus Lieferung und Leistung an die gesamte Kundschaft.«
Wie diese Gelder verwendet werden, steht heute im völligen Belieben der Firmen. In der letzten Dekade haben diese es häufig vorgezogen, statt Maschinen für eine Produktion mit unsicheren Absatzchancen sichere Wertpapiere zu erwerben oder auch ihr gutes Geld in das Ausland zur Erholung vom rauhgewordenen westdeutschen Wirtschaftsklima zu verschicken. In der neueren Zeit nahm dieser Trend wieder etwas ab, kehrte sich aber durchaus nicht völlig um. Zeitweise jedoch schien es, als wären alle großen Konzerne der Bundesrepublik auf dem besten Weg, Banken mit angeschlossener Werksabteilung zu werden. Oder wie es in der Gegenüberstellung von Welzk heißt: »1984 war ein denkwürdiges Jahr. Zum ersten Mal in der deutschen Wirtschaftsgeschichte hat die Gesamtheit der Industrie-AGs selbst mehr an Zinsen vereinnahmt als entrichtet.«

Zur etwa gleichen Zeit beginnt der explosionsartige Anstieg der Gesamtsumme der Auslandsanlagen. Der Saldo davon – also die Anlagen von Inländern im Ausland minus derjenigen der Ausländer im Inland – verdoppelt sich nun ungefähr alle zwei Jahre. Beträgt er 1984 für die Bundesrepublik 52 Mrd. DM, zeigt er 1986 schon 93 Mrd. DM, um schließlich 1988 den Stand von 206 Mrd. DM zu erreichen. Entsprechend magerer fallen die hiesigen Investitionen aus. Der Sachverständigenrat hat in seinem Gutachten 88/89 aufgezeigt, daß allein an Direktinvestitionen 106,6 Mrd. DM zwischen 1977 und 1987 in das Ausland abflossen, denen nur 32,3 Mrd. DM ausländische Direktinvestitionen in die Bundesrepublik gegenüberstanden. Die deutschen Abflüsse in dieser Kategorie machten pro Jahr also 9,7 Mrd. DM aus bzw. 6,8 Mrd. DM unter Abzug der ausländischen Direktinvestitionen hier. In der gleichen Periode war nach der Unternehmensrechnung der Bundesbank im Inland nur ein jährlicher durchschnittlicher Sachanlagenzuwachs von 8,9 Mrd. DM zu beobachten.

Für ein Land mit stetigen Außenhandelsüberschüssen wie die Bundesrepublik ist Kapitalexport prinzipiell nichts Falsches, wird aber dann bedenklich, wenn notwendige heimische Investitionen dafür unterbleiben. Und dieser Bedarf darf nicht allein an einer konstanten Investitionsquote gemessen werden. Denn die Bundesrepublik weist eine kontinuierlich steigende Kapitalintensität auf, also ein zunehmendes Verhältnis von Kapitalstock zu Erwerbstätigen. Um einen Arbeitsplatz zu erhalten, müssen darum – auch bei konstanten Preisen – die Ausgaben an Sachkapital dafür durchschnittlich zunehmen. Tatsächlich sinkt jedoch der Anteil der Anlageinvestitionen am Sozialprodukt. Betrug er während der 60er bis Anfang der 70er Jahre etwa noch ein Viertel, so bewegt er sich für die Periode danach – und das gilt bis heute – auf einen Wert von nur noch einem Fünftel zu. Für die Aufpäppelung der *DDR* ist diese Investitionsfaulheit jedenfalls kein gutes Omen.

Dem Staat ist jedoch das gute Recht zuzusprechen, diese liquiden Mittel in ihm sinnvoll erscheinende Anwendungen umzulenken, wenn sie erst mit seiner Hilfe in dieser Größenordnung zustandekommen. Man könnte also die steuermindernde Anerkennung von Abschreibungen auf Sachanlagen und von Rückstellungen davon abhängig machen, daß sie so lange in einen Nationalen-Investitions-Fonds, oder kurz NIF, überführt werden müssen, wie der bei der Steuerbilanz-Aufstellung angegebene Anlaß für eine Auszahlung noch nicht eingetreten ist. Den Handwerksmeister oder Klein-Gewerbetreibenden muß das natürlich nicht treffen. Hier sind großzügige Freigrenzen denkbar, und für mittlere Betriebe prozentuale Übergänge zwischen 0 und 100% einer NIF-Pflichtigkeit.

Die dem Nationalen Investitionsfonds zeitweise zu übertragenden Summen blieben nach dem Vorschlag im Eigentum der betroffenen Unternehmen, sie verlören aber die Verfügungsrechte darüber während der Zeitspanne, die zwischen dem Geltendmachen von Kosten und dem tatsächlichen Entstehen der Kosten existiert. Wer an seine im Fonds akkumulierten Gelder wieder heranmöchte, müßte nun gegenüber dem Finanzamt nachweisen, daß die Pensionszahlung, der Garantiefall, der Verlust aus einem schwebenden Geschäft oder was auch immer der jeweiligen Rückstellung zugrundeliegt, tatsächlich eingetreten ist.

MEHR INVESTIEREN
IN DEUTSCHLAND!

Das scheint für Abschreibungen ein kurioser Vorschlag, da hier Kosten ja schon mit dem Kauf der Maschine oder

der Erstellung des Gebäudes entstanden sind. Trotzdem läßt sich eine Ähnlichkeit mit den Rückstellungen konstruieren, wenn das – wirtschafts- und steuerpolitisch zu unterstützende – Ziel von Unternehmen nicht darin gesehen wird, einmalig schnelle Gewinne zu erzielen, sondern eine dauerhafte Leistung zu erbringen. Dann aber sind Abschreibungen keine ›Absetzung für Abnutzung‹, sondern sie sind so etwas wie Rückstellungen für Ersatzinvestitionen, also Mittel, um die bei der gegenwärtigen Produktion verbrauchten Gerätschaften wieder zu erwerben. Das Unternehmen hätte dann bei einem Einlösungsversuch gegenüber dem NIF eine die betreffende Summe abdeckende aktuelle Order für Sachanlagen vorzuweisen, wobei hier nicht an eine genaue Differenzierung nach Typen von Maschinen, Anlagen, Gebäuden gedacht ist, sondern dies durchaus im freien Belieben der Firmenleitungen verbleiben sollte.

In der Zeit zwischen Eingang und Auszahlung der Rückstellungen und Abschreibungen stünden die Beträge dem Fonds zur Verfügung. Sie sollten den Eigentümern nicht verzinst werden, um eine möglichst große Gestaltungsfreiheit in den verschiedenen wirtschaftspolitischen Lagen zu erlauben, bis hin zu einer auch einmal denkbaren zinslosen Stillegung auf einem Konto der Bundesbank in Zeiten einer extremen Hochkonjunktur in ganz Deutschland. Aber die Einzahlenden sollten dafür die Gelegenheit erhalten, bevorzugt Ziehungsrechte auf NIF-Mittel geltend machen zu dürfen in zwei Fällen. Einmal könnte der Fonds wie jede Bank arbeiten, die gegen Sicherheiten und Zinsen aktuelle Liquiditätsengpässe überbrücken hilft. Zum anderen aber, und das ist der wichtigere Fall, sollen die Firmen das Recht haben, bis zu einer gewissen Höhe ihrer Zwangseinlagen Gelder wieder abzuziehen, wenn sie dafür Investitionen in Sachanlagen auf dem Gebiet Deutschlands nachweisen.

Dieselben Kriterien würden natürlich eventuellen anderen Kreditnehmern des NIF ebenfalls gestellt. Auch diese dürfen die Mittel nur für Sachinvestitionen im Geltungsbereich des Grundgesetzes verwenden. Es sollen also kategorisch aus NIF-Einlagen weder Finanzanlagen noch auswärtige Expansionen zu finanzieren sein. Auch der Erwerb von Grundstücken müßte eindeutig vom Verwendungszweck ausgeschlossen werden, um eine weitere Welle der Bodenspekulation zu verhindern. Bei Käufen von Immobilien wäre damit zu trennen zwischen dem Bodenwert und dem der Gebäude – wobei nur der letztere von einem Kredit des NIF zu decken wäre – ein technisch nicht allzu schwierig zu lösendes Problem der Abgrenzung.

Aber wäre eine solche Institution überhaupt in der Lage, Investitionsmittel über die jetzt schon verausgabten hinaus zu binden? Für eine Antwort bietet sich die Statistik der Jahresabschlüsse der Unternehmen der Deutschen Bundesbank an. Hier werden aus vielen zehntausend Bilanzen, die zwecks Rediskontgeschäften der Bundesbank vorliegen, nach Branchen getrennte Hochrechnungen für den gesamten Unternehmenssektor unternommen. Aus diesen Angaben lassen sich die drei interessanten Positionen für einen solchen Fonds-Vorschlag gewinnen: der (Brutto-)Zugang an Sachanlagen – also die Investitionen –, die Abschreibungen auf Sachanlagen und die Zuführungen zu den Rückstellungen.

Die beiden letzten Kategorien zusammen ergeben für das letztvorliegende Jahr 1988 einen Wert von 160 Mrd. DM, die Sachinvestitionen von 155 Mrd. DM. Selbst in einer Phase ungetrübter Hochkonjunktur hätte der NIF – damals schon eingeführt – also mehr an Mitteln für Investitionen reserviert, als in diesem Jahr in der Bundesrepublik tatsächlich verausgabt wurden. Alle anderen Umstände gleichgeblieben, wären das in der ganzen letzten Dekade durchschnittlich knapp 6% zusätzlich gewesen, eine schon recht ansehnliche Zahl.

Dazu könnte die Fondsverwaltung aber auch Bedingungen mit einer Kreditgewährung oder einem Ziehungsrecht verbinden und verlangen, daß zusätzlich zu den Fondsgeldern weitere Eigen- oder Fremdmittel an Sachanlagen zu investieren sind. Nehmen wir zum Beispiel an, daß die Unternehmen ihre eingezahlten NIF-Beiträge in der Höhe von Abschreibungen voll für Sachinvestitionen verwenden dürfen, bei dem Rückgriff auf ihre Rückstellungen jedoch noch einmal die Hälfte des Betrages aus eigenen Mitteln zusätzlich aufzubringen haben. Dann wären 1988 Investitionen in Höhe von etwa 20 Mrd. DM zusätzlich in die Bundesrepublik geflossen, oder in den letzten zehn Jahren durchschnittlich gut 16% mehr.

NOCH MEHR INVESTITIONEN IN DEUTSCHLAND!

Diese Erwartung höherer Investitionen ist durchaus realistisch. Die Unternehmen würden nämlich versuchen, so viel wie möglich von ihren eingefrorenen Mitteln zur Wiederverwendung wieder anzufordern – schließlich wäre dieser Anteil sonst zinslos festgelegt und brächte ihnen somit kein Geld ein. Das heißt zudem, sie würden sich zu heimischen Investitionen auch dann bereitfinden, wenn anderswo das Gras grüner, die Rendite fetter schiene. Und da in der Bundesrepublik – auch abgesehen von den hier vorgeschlagenen Arbeitszeiteinschränkungen sowie den angesprochenen möglichen Abnahmeverpflichtungen – Land und Leute für ein weiteres Wachstum langsam knappzuwerden drohen, stellt die *DDR* den natürlichen Ausweichraum für Zusatzinvestitionen dar – ein gegenwärtig hocherwünschter Effekt.

ANDERE INVESTITIONEN IN DEUTSCHLAND!

Es spräche auch nichts dagegen, wenn die Fondsverwaltung bei dem Teil der Gelder, der von den Zwangseinlegern nicht direkt wieder zurückverlangt wird, sondern dem normalen Kreditnehmer zur Verfügung gestellt werden kann, für Investitionen östlich der Elbe einen niedrigeren Zinssatz auslobte als westlich davon. Schließlich wäre es sogar möglich, auch staatliche Investitionen damit günstiger zu finanzieren als am freien Kapitalmarkt. Denn da der NIF gegenüber den Eigentümern der Zwangseinlagen nicht zinspflichtig ist, sondern im öffentlichen Interesse zu handeln hätte, bliebe die Maximierung der Einkünfte nicht das notwendig höchste Ziel der Fondsmanager. Je nach politischer Mehrheit und anfallenden Aufgaben könnten heute arbeitsintensive Produktionsanlagen in der *DDR* bevorzugt damit finanziert werden, morgen etwa Umweltschutzinvestitionen in ganz Deutschland und – wenn dergleichen Konzepte in Europa sich durchgesetzt haben – übermorgen die umweltverträgliche Umstrukturierung aller alten Industrien auf dem alten Kontinent.

Dazu gibt es eine ganze Reihe weiterer Vorteile eines NIFs. *Erstens* läßt sich den Erfahrungen mit dem im Umfang durchaus bescheidenen schwedischen Konjunkturausgleichsfonds entnehmen, daß die gezielte quantitative Steuerung von Investitionsmitteln – Freigabe in Tiefs, Einfrieren in Hochs – durchaus zyklusglättende Wirkung hat. Die heute sonst herrschende hilflose Abhängigkeit von endogen erzeugten Schwingungen des Wirtschaftsgeschehens ist nun wirklich kein Ruhmesblatt moderner Politikgestaltung, jede zusätzliche Eingriffsmöglichkeit nur willkommen. Ein Übriges täten die Unternehmen ganz von selbst. Um möglichst wenig Mittel, die sie aktuell selbst nicht nutzen könnten, dem Fonds zur Verfügung zu stellen, wäre ihr Bestreben, Investitionen zu verstetigen, also Schwankungen jeder Art zu minimieren.

Zweitens kann dadurch die Geld- von der Wirtschaftspolitik ein Stück weit entkoppelt werden. Die wichtigste Aufgabe der Bundesbank, für Preis- und Wechselkursstabilität zu sorgen, hat bisher immer starke Auswirkungen auf die Investitionstätigkeit, obwohl mit manchen Maßnahmen auch nur der private Verbrauch oder ausländische Anleger getroffen werden sollen. Ein Fonds mit eigener Zinsgestaltung trifft einen großen Teil der Sachanlageinvestitionen entweder zielgenauer oder kann umgekehrt einer zu restriktiven Politik entgegenwirken. Der große Widerspruch der Zukunft, ob die Bundesrepublik lieber internationaler Finanzplatz oder internationaler Produktionsstandort sein möchte, wird dadurch ein wenig entschärft.

Auch ordnungspolitisch wäre der Fonds von doppeltem Vorteil, das *dritte* zusätzliche Argument. Die Rückstellungsmöglichkeiten nutzten bisher nämlich vor allem den großen Unternehmen. Während 1986 das Verhältnis der Sachanlagen – und so etwa auch der Abschreibungen – zu der Bilanzsumme nach Größenklassen unterschieden wenig schwankt und keinen Trend aufweist, gibt es beim Anteil der Rückstellungen ein einfaches Bild: Bei Unternehmen mit einem Umsatz unter 5 Mill. DM beträgt er gut 5%, um dann kontinuierlich zu steigen bis ungefähr 29% für Firmen mit einem Umsatz von mehr als 100 Mill. DM. Müßten diese Mittel der großen Einheiten verstärkt in einen NIF eingezahlt werden, könnten sie von dort wieder ausgeliehen werden – unter anderem z. B. mit der Vorgabe, für Klein- und Mittelbetriebe einige Beträge mit besonders günstigen Zinskonditionen bereitzuhalten. Zugleich entzöge man den Großfirmen einen Gutteil der Kriegskasse, die sie sonst für weitere Firmenaufkäufe oder -übernahmen verwenden könnten.

KEIN AUSBÜCHSEN AUS DER DEUTSCHEN EINHEIT!

Was den Fonds so zu einem Traum für Wirtschaftspolitiker werden lassen könnte, wäre – natürlicherweise umgekehrt – den Firmen ein Schrecken. Sie verlören die in

fester Erbpacht geglaubte Verbindung von Steuervorteilen mit Verwendungsfreizügigkeit gegenüber diesen Mitteln. Auf die Schnelle ausbüchsen und sich dieser nationalinvestiven Verantwortung entziehen, könnten sie jedoch nur schlecht. Nach wie vor wären Rückstellungen und Abschreibungen steuerbegünstigt und bei anscheinend eigenen Investitionen auch lohnend. Versuchten jedoch Unternehmen panikartig das große Fersengeld zu geben und den Standort Bundesrepublik gänzlich aufzugeben, wäre eine kleine Notbremse angebracht.
In einem solchen NIF-Gesetz könnte zum Beispiel noch festgelegt werden, daß bei größerem Unterschreiten des langjährigen Durchschnitts von Rückstellungszuführungen auch der angehäufte Bestand an Rückstellungen in wenigen großen Tranchen dem Fonds zu übergeben wären. Und das betrifft so enorme Summen, daß dies eine wirksame Bremse gegenüber größeren Fluchtbewegungen in das Ausland bildete. Betragen die Zuführungen zu den Rückstellungen nämlich 1988 schon 31 Mrd. DM, so beläuft sich deren Bestand auf die fast unglaubliche Summe von 452 Mrd. DM. Zum Vergleich für die Dimensionen: die gesamten Sachanlagen zeigen auch nur einen Betrag von 619 Mrd. DM für dieses Jahr.

Aus den Pioniertagen der Sozialen Marktwirtschaft

Zu rechnen wäre freilich mit einem politischen Widerstand der Unternehmen, der alles in den Schatten stellen dürfte, was bisher in der Bundesrepublik zu beobachten war. Schon die Einführung der – in Umfang, Zielsetzung und Dauer sehr viel kleiner konzipierten – neuen schwedischen Fonds Mitte der 80er Jahre brachte dort richtiggehende Massenproteste von Unternehmen und leitenden Angestellten mit sich und läßt in etwa ahnen, was uns hier bevorstehen würde. Mit der Immobilisierung von Kapital fordert man die permanente finanzielle, mediale und personelle Einmischung der Wirtschaftseliten in alle Bereiche der Politik dieses Landes heraus.

Da ist es nur gut, daran zu erinnern, daß schon einmal in der Geschichte der Bundesrepublik ein Instrument ähnlicher Bauart eine kurze Blüte erlebte. Und daß sogar die Ausgangskonstellation sich ähnelt. Auch damals blieb die Arbeitslosigkeit – trotz einschneidender Maßnahmen zugunsten der privaten Investitionsneigung – auf hohem Niveau, während gleichzeitig schon überwunden geglaubte Inflationstendenzen erneut sichtbar wurden. Dazu kam als größtes Problem, daß die Investitionen in die falschen Kanäle flossen, daß also der freie Markt für Kapital zumindest in dieser speziellen Situation erkennbar nicht eine stetige positive Wirtschaftsentwicklung garantieren konnte. Und um die Ähnlichkeit perfekt scheinen zu lassen, war es damals wie heute auch eine Koalition von CDU und FDP, die die politische Verantwortung trug.

Die Zustandsbeschreibung betrifft das Jahr 1951. Der Kanzler hieß Adenauer und nicht Kohl, der Wirtschaftsminister Erhard und nicht Haussmann. Das war für die Bundesrepublik die Zeit der Diskussion und der Verabschiedung des ›Investitionshilfegesetzes‹. Als vordringlich regelungsbedürftig wurde damals das Problem empfunden, daß die privaten Investitionsmittel sich fast aus-

schließlich auf die verbrauchsnahen Industriesektoren konzentrierten – Ergebnis von freien Preisen bei diesen Gütern –, während die Grundstoffgüterproduktion noch preisgebunden war. Unterschiedliche Rentabilitäten führten also zu unterschiedlichen Investitionsraten und damit zu unterschiedlichem Produktionswachstum. Das implizierte die Möglichkeit eines gefährlichen Rückkoppelungsprozesses. Besonders bei dem Basisrohstoff Kohle, in dessen Gefolge auch bei der Eisen/Stahl- und der Energieerzeugung und den Transportkapazitäten wurden während des Jahres 1950 bereits deutliche Engpässe sichtbar, die auch das Wachstum der anderen Industrien bedrohte.
Um dieser, in eine Stagnation führende, ›Scherenentwicklung‹ zu begegnen, entstand nach intensiven Diskussionen zwischen und innerhalb der damit befaßten Ministerien, den Wirtschaftsverbänden, Gewerkschaften und Parteien ein Gesetz, das unter anderem vorsah, daß die gewerblichen Unternehmen für eine beschränkte Zeit eine Art Zwangsanleihe zu zeichnen hatten, deren Aufkommen speziellen Branchen für Investitionszwecke zur Verfügung gestellt wurde. Dieser staatlichen ordnenden Regelung entsprach natürlich ein partielles Außerkraftsetzen der freien Verfügung über die einfließenden Erlöse. Der Historiker dieses Gesetzes, Adamsen, dem auch die anderen Angaben entnommen sind, schreibt dazu: »Für die Unternehmen bedeutete dies einen effektiven Liquiditätsabfluß, für den sie zwangsweise zum Kauf von Kapitalmarktpapieren verpflichtet wurden. Damit war die Investitionshilfe kein ›Geschenk‹ und auch keine Vermögensabgabe, sondern schränkte die unternehmerische Dispositionsfreiheit über sonst zumeist im eigenen Unternehmen angelegtes Kapital ein.«
Nicht wie das Gesetz letztlich ausgestaltet wurde, ist das Besondere an dieser Epoche, sondern die Vielzahl der Vorschläge wie der Kreis der Akteure, in dem die verschiedensten Versionen ernsthaft diskutiert wurden. Und von denen einige unter einem politischen Druck zeit-

weise zu ganz erstaunlichen Ergebnissen kamen. So war es etwa ausgerechnet der Bund der Deutschen Industrie, der in einem ersten Memorandum im März 1951 im Tausch gegen das Weiterbestehen von Abschreibungsvergünstigungen die Möglichkeit eines Zwangs-Fonds ventilierte, oder im April – zur äußersten Überraschung der Gewerkschaften – die damals bedeutende Summe von 1 Mrd. DM an Investitionsmittel freiwillig von seiten der Industrie zugunsten der an Kapitalmangel leidenden Branchen anbot.

Und ebenso erstaunlicherweise war es Hermann Josef Abs von der Deutschen Bank, der schon im Februar des gleichen Jahres in einem Brief an den damaligen Finanzminister Schäfer ein Konzept vertreten hatte, wie mit Hilfe von einschränkenden Abschreibungsbestimmungen Finanzströme in bestimmte Branchen zu lenken wären: »Ich bin der Ansicht, daß man der Wirtschaft das Opfer zumuten muß, die Abschreibungen nur in einem geringen Prozentsatz zuzulassen, die volle Ausnutzung der ihr zugestandenen Abschreibungsmöglichkeiten aber davon abhängig zu machen, daß die Hälfte des Differenzbetrages zwischen den zugelassenen und den vollen Abschreibungen in Titeln des Kapitalmarktes angelegt werden muß.«

Als das später zeitlich befristete Investitionshilfegesetz im Dezember 1951 im Bundestag in einer gegenüber den ursprünglichen Planungen schon verwässerten Form – und somit auch gegen die Stimmen von SPD, KPD und dem Zentrum – angenommen wurde, war seine Wirkungsgeschichte noch nicht zu Ende geschrieben. Mittlerweile wehte der politische Wind wieder eindeutig in Richtung ungehemmter Kapitalismus und freies Unternehmertum, und selbst der kleine Oktroy der korporatistischen Achse Politik-Großindustrie stieß manchem aus dieser Gruppe zu sauer auf. »Der Widerstand einzelner Unternehmen, Branchen und Verbände gegen das von den Spitzenorganisatoren gemachte, die gesamte Wirtschaft belastende Angebot war elementar und richtete sich selbst noch gegen das schließlich ordnungsgemäß verabschiedete Gesetz.« notiert Adamsen.

VORWÄRTS ZURÜCK ZUM GRUNDGESETZ!

Es kam zu Protestveranstaltungen, Resolutionen und zahlreichen individuellen Versuchen, sich der Zahlungsverpflichtung zu entziehen. Schließlich legten mehrere hundert Unternehmen und Einzelpersonen sogar Verfassungsbeschwerde ein. Diese wurde zur Entscheidung angenommen und am 20. 7. 1954 ein – die Beschwerde ablehnendes – Urteil verkündet, das als wegweisend für die ordnungspolitische Position des Verfassungsgerichts gilt. Der Begründung vorangestellt, finden sich darin unter anderem folgende Kernsätze:

»3. Ein gesetzlicher Eingriff in die Freiheit der Disposition über Betriebsmittel ist mit Art. 2 Abs. 1 GG vereinbar, sofern ein angemessener Spielraum zur Entfaltung der Unternehmerinitiative verbleibt. (...)

5. Die Liquidität des Betriebs ist kein der Eigentumsgarantie unterliegendes Recht.

6. Ein bestimmtes Wirtschaftssystem ist durch das Grundgesetz nicht gewährleistet.«

Diese Aussagen sind dabei nicht an ein Urteil gebunden, das nur aus einer speziellen historischen Situation heraus entstanden war und später – bei passender Gelegenheit – einmal grundsätzlich revidiert werden sollte. Im Gegenteil: noch in der Mitbestimmungsentscheidung von 1979 wird der Tenor von 1954 erneut bekräftigt. Darum sei zum Abschluß die weiter gültige Rechtsauffassung des Verfassungsgerichts zur Wirtschaftsordnung noch einmal in einer längeren Passage aus dem Investitionshilfe-Urteil dokumentiert. Man scheint dies als Gegenmittel zum allzuschnellen Akzeptieren der heute gegebenen Verhältnisse nicht häufig genug tun zu können.

»Das Grundgesetz garantiert weder die wirtschaftspolitische Neutralität der Regierungs- und Gesetzgebungsgewalt noch eine nur mit marktkonformen Mitteln zu steuernde ›soziale Marktwirtschaft‹.
Die ›wirtschaftspolitische Neutralität‹ des Grundgesetzes besteht lediglich darin, daß sich der Verfassungsgeber nicht ausdrücklich für ein bestimmtes Wirtschaftssystem ausgesprochen hat. Dies ermöglicht dem Gesetzgeber die ihm jeweils sachgemäß erscheinende Wirtschaftspolitik zu verfolgen, sofern er dabei das Grundgesetz beachtet.
Die gegenwärtige Wirtschafts- und Sozialordnung ist zwar eine nach dem Grundgesetz mögliche Ordnung, keineswegs aber die allein mögliche. Sie beruht auf einer vom Willen des Gesetzgebers getragenen wirtschafts- und sozialpolitischen Entscheidung, die durch eine andere Entscheidung ersetzt oder durchbrochen werden kann. Daher ist es verfassungsrechtlich ohne Bedeutung, ob das Investitionshilfegesetz im Einklang mit der bisherigen Wirtschafts- und Sozialordnung steht und ob das zur Wirtschaftslenkung verwandte Mittel ›marktkonform‹ ist.«

Innovation

Da die Bürger regiert werden und bezahlen müssen
und da beides entweder ihre Freiheit oder ihr Einkommen
schmälert, so möchten sie gerne, daß sowenig,
als die Wohlfahrt des Staats nur immer zuläßt, regiert würde,
und daß sie so viel wie möglich selbst regieren dürften.
Die Dienstmannschaft aber sieht, wenn die Bürger
sich selbst regieren, so scheel dazu,
als die Barbiere zum Selbstrasieren.
Sie betrachtet es als eine ungerechte Schmälerung
ihres Handwerks und die Bürger als Pfuscher.
Der Zeitgeist hält Organisationsexamen
Friedrich List, 1819

Das Zur-Verfügung-Stellen von Kapital in ausreichender Menge wie auch der Versuch, den in der *DDR*-Wirtschaft Beschäftigten via Arbeitszeitpolitiken den harten Übergang zur kapitalistischen Wirtschaftsordnung abzufedern, reichen für eine auch langfristig uns und anderen verträgliche Vereinigung nicht aus. Selbst wenn es gelingt, mit Hilfe von allerlei Subventionierungen für die nächsten Jahre eine vorläufige Stabilisierung der Beschäftigungssituation zu erreichen, ein auf Dauer angelegtes Rezept beinhaltet solche Hilfe nicht. Es bleibt die Gefahr bestehen, daß der Osten Deutschlands bestenfalls zur verlängerten Werkbank der westdeutschen Mutterfirmen aufsteigt, wenn er nicht sogar in vielen Bereichen nach einigen Anfangserfolgen zum reinen Absatzgebiet wieder absinkt: eine Region, wo man Billiges billig zu produzieren weiß und anderes teuer sich von dort bezahlen läßt. Für eine wirkliche Angleichung muß sich auch beim Humankapital ein sehr langfristig anzusetzender Wandel vollziehen, ein radikales Umdenken zum ständigen Initiativwerden. Und während das vorhergehende Kapitel mit einem kleinen Exkurs in die politischen Lehren der Vergangenheit endete, ist dieses den Zukunftsperspektiven gewidmet.

NEUDENKEN FÜR DEUTSCHLAND!

Daß der Markt für Produktionsfaktoren schon automatisch einen Ausgleich an Erwerbschancen erzwingen wird, diese immer noch populäre und besonders gerne von ehemaligen und amtierenden Wirtschaftsministern in Talkshows vorgetragene Weisheit ist reines Wunschdenken. Schließlich spricht nichts dafür, daß das Fünf-Länder-Konglomerat mit der Einwohnerschaft von gerade mal der Größenordnung Nordrhein-Westfalens unbedingt selbst seine dort nachgefragten Autos, Kraftwerke

oder Videorecorder herstellen muß, sondern es kann in fast allen Gütern bequem von anderen, bereits ausgebauten Produktionsstandorten mitbeliefert werden. Man lese nur noch einmal die ebenso positiv gestimmten Aussagen derselben Personen, die heute der *DDR* nichts weniger als eine glänzende ökonomische Zukunft attestieren, zu dem Ceccini-Bericht nach, in dem ein einheitlicher europäischer Binnenmarkt von 320 Millionen Einwohnern gefordert wird, nicht zuletzt deshalb, um die Vorteile arbeitsteiliger, an jeweils wenigen strategischen Punkten konzentrierter Herstellungen wahrzunehmen.
Und wie bei dem EG-Projekt kann damit gerechnet werden, daß in erster Linie die eingeführten Industriestandorte von der Einigung profitieren werden. Denn billige Löhne allein beinhalten keine Garantie für selbst-tragfähige Produktionsverlagerungen, ebensowenig wie stattliche staatliche Anschubfinanzierungen. Für das letztere ist auch der Westen Deutschlands kein Paradebeispiel. Es ist doch nicht einmal in der Bundesrepublik gelungen, auch nur die Zonenrandförderung über die Jahre hinweg entscheidend abzubauen. Eine dauerhafte Erfolgsstory durch eine kurzzeitige Anschubfinanzierung ließ sich mit dem Mitteleinsatz offensichtlich nicht begründen, erreicht hatte man nur die Unterfütterung einer Subventionsmentalität. Noch für das Jahr 1990 sind trotz anstehender Einigung dafür wieder satte 1,2 Mrd. DM an direkten Investitionszulagen vorgesehen, weitere 2,2 Mrd. DM Steuerverlagerung macht die Wirkung von Sonderabschreibungen und -rücklagen aus. Wieviel Arbeitsplätze damit in dem mäßig besiedelten 40 Kilometer-Streifen am früheren eisernen Vorhang von *DDR* und CSSR wirklich geschaffen und wieviel nur künstlich erhalten wurden, wird unbekannt bleiben. Aber ein Vorbild in puncto Wirksamkeit für die Ausdehnung solcher Maßnahmen auf den gesamten Osten Deutschlands kann solche jahrzehntelange kostspielige Finanz-Transfusion kaum darstellen.
Ein ähnlicher Einwand läßt sich gegenüber der Hoffnung

auf dic segensreiche Wirkung weiterbestehender Differenzen in den Lohnkosten anführen. Es liegt darin wenigstens so viel Wahrheit, daß der Lebensstandard im Osten und Westen Deutschlands noch auf längere Zeit hinaus deutlich unterschiedlich bleiben wird. Denn auch bei optimistisch vorausgesagten Produktivitätszuwächsen von vielleicht 10% per Annum in der *DDR* kostet das Aufholen noch ein gutes Dutzend Jahre. Ob dieser Malus für die Taschen der *DDR*-Bürger ihnen aber auch als Bonus geringer Arbeitslosigkeit zufließt, ist nicht ausgemacht. Die in den letzten Jahren unter Ökonomen hochgeschätzte sogenannte ›Standortdebatte‹ über die Kriterien von Investitionsentscheidungen hat jedenfalls soviel ergeben, daß der simple Vorteil bei einer einzigen Kostenart – und sei sie so bedeutend wie die Löhne – noch lange nicht zur Erklärung des Verhaltens von Investoren zureicht.

Die Bundesrepublik im ganzen ist das beste Beispiel dafür. Eigentlich hätten wir im internationalen Wettbewerb als Industriestandort schon längst rettungslos zurückgefallen sein müssen, glaubt man den periodisch ausgestoßenen Weherufen der Arbeitgeber. Immer wieder beweisen sie uns von neuem, daß wir hier die höchsten Löhne haben, den längsten Urlaub, die kürzeste Wochenarbeitszeit. Daß denen bisher entgegenstanden die vergleichsweise sehr günstigen Steuer-, Abschreibungs- und Rückstellungsregelungen – worauf im vorhergehenden Kapitel Bezug genommen wurde – wird von dieser Seite verständlicherweise weniger gerne erwähnt.

Vollends verschliert aber erscheint die Argumentation der Unternehmerverbände, kommt es zu der Bedeutung weiterer institutioneller und infrastruktureller Bedingungen, wie: funktionierende Verkehrs- und Kommunikationsnetze, staatliche Forschungspolitik, auf Wirtschaftsinteressen zugeschnittene Ausbildungen. Man fordert hier von Seiten der Unternehmen ständig Verbesserungen durch die öffentliche Hand und bestreitet doch die herausragende Rolle dieser Rahmenbedingungen bei Investitionsentscheidungen. Dabei ist der dauerhafte Erfolg der bundesrepublikanischen Industrie gar nicht anders zu erklären, als dadurch, daß es modernen Firmen vor allem ankommt auf: qualifiziert einsatzfähige Arbeitskräfte in einem funktionierenden Umfeld anderer High-Tech-Institutionen. Zwar langt auch dies nicht mehr, der Bevölkerung zu einer Vollbeschäftigung ohne aktive Arbeitsmarktpolitik zu verhelfen, aber die Position eines Exportwelt- oder vizeweltmeisters läßt sich, scheint's, allemal damit halten.

Viel von diesem Nährboden für positive Standortentscheidungen ist – mit Ausnahme des dank des Westteils der Stadt auch künftig flitternden Großraums Berlin selbstverständlich – zur Zeit jenseits der Elbe nicht zu sehen, und Besserung auch kaum in baldiger Sicht. Denn in nächster Zeit freiwillig ansiedeln werden sich dort die innovativen Betriebe oder Unternehmensabteilungen nur unter der Bedingung, ihnen so umfassende Subventionen für ihre freundliche Mitwirkung zu zahlen, daß der gesellschaftliche Nutzen wieder recht fraglich wird. Der ›wilde Osten‹ mag westlichen Immobilienmaklern und Gebrauchtwagenverkäufern als Eldorado erscheinen, um eine schnelle Mark zu machen, aber der normale mittlere bis leitende Angestellte mit gesuchter technischer oder kaufmännischer Qualifikation hat heute in der Bundesrepublik andere Prioritäten in der Wahl von Arbeits- und Wohnort und kann sich deren Durchsetzung auch leisten.

MEHR ERLEBEN
IM DEUTSCHEN OSTEN!

Man stelle sich nur als Beispiel den Versuch vor, einige hundert Ingenieure aus einer, sagen wir, in München bei Siemens angesiedelten Entwicklungsabteilung nach Leipzig zu verpflanzen. Selbst wenn mit Hilfe eines Satelliten

die heute lebensnotwendige Datenkommunikation im Büro eingerichtet werden kann und auch hin und wieder ein Jet mehr die eingestaubte Messestadt in Richtung USA oder Brüssel verläßt, die privaten Kalamitäten werden nur einige wenige abenteuerlustige Mitarbeiter zum freiwilligen Umzug bewegen, die anderen aber zur Verzweiflung bringen.
Es gibt keine als angemessen angesehenen Wohnungen, die gerade teuer tiefergelegte Karosserie des neuen oberen Mittelklassewagens bleibt zur Häme der Eingeborenen andauernd im Schlagloch hängen, das dank des Smogs dauerkeuchhustende Kleinkind nervt die Angetraute und die älteren, waldorfverwöhnten Sprößlinge werden von ehemaligen, jetzt angeblich runderneuerten Stasi-Feldwebeln unterrichtet. Und man kann doch nicht jeden Abend in das Gewandhaus gehen! Ein erzwungener Umzug, selbst in die Heldenstadt, dem nur mit einer Kündigung oder – gefürchteter noch von den Personalabteilungen – mit einem Rückzug in die ›innere Emigration‹ begegnet werden kann. Solchen Risiken werden sich auch mutige Firmen gar nicht erst aussetzen. Es dürfte ihnen reichen, jeweils einige Spitzenleute – hochdotiert und mit Erschwerniszulage versehen – in die oberste Etage des übernommenen und kleingeschrumpften Kombinats zu entsenden, den Rest des Kreativpotentials aber im Westen zu belassen.
Wenn damit die mentale Ost-Kolonisation – und diese wäre dringend angesagt – an der zu vermutenden Abwehrhaltung der westlichen Techno-Eliten gegen die Bluttransfusion scheitert, muß die nun kapitalistische ›Neuererbewegung‹ von der Bevölkerung der *DDR* selbst getragen werden. Ein schwieriges Problem für eine in vierzig Jahren sowohl zur Initiativlosigkeit wie zur Verweigerung erzogenen Gesellschaft, wie man aus der Erfahrung mit der letzten Übersiedlerwelle weiß. Denn die nach dem Herbst ’89 so euphorischen Erwartungen – an sowohl die Qualifikationen als auch vor allem an die Arbeitsbereitschaft ehemals sozialistisch geknechteter

Untertanen – haben sich binnen weniger Monate in eine zunehmend zurückhaltendere Berichterstattung verwandelt. Dabei betraf dies noch frühere *DDR*-Bürger, die in jeder Hinsicht – also von der Ausbildung, der Motivation und der Altersstruktur her – als der ›mobilsten‹ und ›agilsten‹ Schicht zugehörig gelten können.

Pflanzschulen für neue Mittelständler

Eine einzige Gruppe der Dagebliebenen hat noch bessere Chancen, sich den neuen Herausforderungen ohne größere Friktionen stellen zu können: die ehemaligen Kader. Nicht umsonst wird in Kreisen der Werktätigen geklagt, die früher wohltönenden Idealen Verpflichteten könnten mit Entlassungen und einsamen Entscheidungen zwecks Kooperation, Verkauf oder Joint-ventures schon genauso selbstherrlich umgehen wie ihre Kollegen im Westen. Auch darüber hinaus scheinen sie einiges zu bieten zu haben. In einem ersten bekanntgewordenen Vergleich der Fähigkeiten von Ost- und West-Managern in einem der so beliebten ›Assessment-Center‹ schnitten sie zum Erstaunen der Veranstalter individuell nur wenig schlechter als ihre Kollegen ab. Und besonders auffällig war, daß sie ihre Leistung viel stärker als jene verbessern konnten, sobald es um Gruppenentscheidungen ging. War das westliche Führungstier völlig seinen eigenen Karriere-Zielen verpflichtet und zur gleichberechtigten Zusammenarbeit strukturell schlecht fähig, ist die – heute wieder hochbewertete – Team-Arbeit ein der ex-sozialistischen Leitung wohlvertrautes Terrain.
Trotzdem sehen die Zukunftschancen für viele der ehemaligen Ost-Manager schlecht aus. Ganz unabhängig von ihrer jeweiligen Qualifikation müssen sie mit der Notwendigkeit einer beruflichen Umorientierung rech-

nen. Denn die Eigentümer der Betriebe werden auf jeden Fall wechseln, und die neuen Kapitalisten sind den ehemaligen Staats-Kapos durch keine Bande der Loyalität mehr verbunden, während die Belegschaft dagegen manch alte Rechnung aufmachen und jetzt endlich Abrechnung fordern wird. Der gefährdete Betriebsfrieden läßt sich durch Kündigungen aller Vorgesetzter am einfachsten wiederherstellen, trifft es doch die angeblich vor allem an der Misere Schuldigen. Aber nicht nur deshalb gibt es arbeitsloses Leitungspersonal bald im Überfluß. Die Zahl der überlebensfähigen Betriebe, in denen sie bisher ihre Arbeitsplätze fanden, wird stark sinken, und auf der Verwaltungsebene überbesetzt waren sie schon von Anfang an.

Der Weg in den Westen ist den Kadern aber im Unterschied zu den Facharbeitern zumeist versperrt. Effektives Management hat viel zu tun mit der Kenntnis von Kommunikationsstrukturen und nicht allein mit der Fähigkeit, betriebswirtschaftliche Daten zu interpretieren. Darin sind ihnen aber die Absolventen bundesdeutscher Universitäten und Fachhochschulen in der Regel weit überlegen. Daß eine Abteilung eines schwäbischen Betriebs oder eines im Ruhrpott befindlichen sich von einem sächsischen Vorgesetzten mittleren Alters reibungslos führen lassen wird, dürfte noch manche Jahre lang nicht recht vorstellbar sein. Dazu kommt das Mißtrauen der Firmeneigentümer. Schließlich war es doch hochwahrscheinlich, daß der gute Mann – so er das auch drüben schon war – Mitglied in Parteien und Massenorganisationen gewesen ist, die man nicht so gerne in der Biographie seiner Mitarbeiter sieht. Schon bieten sich die ersten Privatdetekteien an, dergleichen Hintergründe selbst bei den niederen Chargen von Übersiedlern noch nachträglich auszuleuchten.

Unnütz und fehlgeleitet wäre es jedoch, wenn nun aus den mangelnden sonstigen beruflichen Alternativen für das ehemalige Führungspersonal von *DDR*-Betrieben ein Trend der Umorientierung in Richtung auf staatliche und

para-staatliche Verwaltungsbürokratie entstünde, ein Metier, das Ost-Manager von Grund auf kennen und zu dem sie sich darum ganz natürlich hingezogen fühlen werden. Und da dort dank der ebenfalls vorzufindenden Überbesetzung die Kapillaren verstopft sind, müssen und werden sie einen indirekten Weg wählen: den über die Politik. Durch Mandate in den neukonstituierten Kreis- und Landtagen, den Stadt- und Gemeindeparlamenten samt den dazugehörigen Planungskommissionen, Adhoc-Komitees, Umland-, Abfall-, Vorfall- und Wegfallverbänden versuchen jetzt schon viel zu viele Vertreter der alten Führungsschicht, eine annehmbar bezahlte Stellung im öffentlichen Auftrag zu acquirieren.
Und als Gruppe dürften sie dabei ganz erfolgreich sein, da sie eben jenen Hauch von Macherschaft mit sich bringen, der in der *DDR* sonst schmerzlich vermißt wird, und ihnen auch der vertraute Stallgeruch nicht abgeht wie etwaigen westlichen Mitbewerbern. Für die Ökonomie wäre dieser Verlust aber die reine Verschwendung: Die Wendekader müssen statt dessen hinaus in die Marktwirtschaft. Wer sonst, wenn nicht sie, könnte den gesuchten neuen tatkräftigen Mittelstand kreieren? Und selbst wenn es anfangs nur um das Betreiben von Autoreparaturwerkstätten geht, den Getränkemarkt oder um den Videoverleih um die Ecke, nützliche Erfahrungen für spätere größere Karrieren lassen sich in jedem selbständig betriebenen Geschäft sammeln. Das beste Beispiel für das fruchtbare Wirken ehemals ›linker‹ Eliten, die aus politischen Gründen ihre Arbeitsplätze verloren und von neuen ferngehalten wurden, bietet die neuaufgeblühte Textil-, Elektromechanik- und Elektronikindustrie in Oberitalien. Die innovativen Klein- und Mittelunternehmer rekrutieren sich zu einem beträchtlichen Teil aus den Kadern der aus dem italienischen ›heißen Herbst '69‹ hervorgegangenen linkskommunistischen Gewerkschaften. Gegen eigenes Wollen zur ›neuen Selbständigkeit‹ gezwungen – aber mit einigen kooperativen Fähigkeiten versehen –, war ihr tatkräftiger Beitrag die Errichtung

einer flexiblen Verbundwirtschaft neuen Typs, in der amerikanische Industriesoziologen bewundernd und etwas übertreibend schon das ›Ende der Massenproduktion‹ erblicken wollten.

MEHR DEUTSCHE KOMMUNISTEN IN DEN MITTELSTAND!

Es hätte in der *DDR* einen eleganten Weg gegeben, die ehemaligen Leiter aus den Verwaltungssphären fernzuhalten: wenn aus Gründen der politischen Hygiene die Wahlzulassung auf ihre Tauglichkeit als demokratisches Erziehungsmittel überprüft worden wäre. Denn das passive Wahlrecht zählt nicht zu den unverbrüchlichen Menschenrechten, sondern nur zu den nachrangig definierten Bürgerrechten. Diese können auch Personen wegen bestimmter, als schwerwiegend angesehener Taten entzogen werden. So kennt die Bundesrepublik etwa im § 45 des Strafgesetzbuches als mögliche Nebenfolge einer Verurteilung zu einer mindestens einjährigen Freiheitsstrafe auch den ›Verlust der Amtsfähigkeit, der Wählbarkeit und des Stimmrechtes‹.
Ein solcher Anlaß könnte auch dann als gegeben angesehen werden, wenn dank der Aktivitäten einer eindeutig definierbaren Gruppe die bewußte Behinderung eines Volkes an der Ausübung seiner Menschenrechte dauerhaft vorlag. Es kann wohl kein ernstlicher Zweifel daran bestehen, daß in der *DDR* genau das vierzig Jahre lang passiert ist. Und daß kein daran aktiv Beteiligter sich darauf berufen kann, in Unkenntnis gehandelt zu haben. Schließlich waren westliche elektronische Medien seit langem ohne Schwierigkeiten zu empfangen, bestand dadurch eine faktische Informationsfreizügigkeit. Wer sich also trotzdem als Mitglied einer der damals zugelassenen Parteien des herrschenden Blocks hat einspannen lassen – wie praktisch alle in einer leitenden wirtschaftlichen Tä-

tigkeit –, der war ein bewußter Mittäter. Diese Personen bildeten einen Trägerkreis, ohne den das ganze Unrechtssystem kaum so lange so stabil Bestand gehabt hätte, zumindest aber genötigt gewesen wäre, mit auffällig wenig Legitimation auszukommen.
Damit bestanden gute Gründe, gegenüber diesen Mitverantwortlichen einen befristeten Ausschluß vom passiven Wahlrecht vorzunehmen. *DDR*-Bürgern mit mehrjähriger Zugehörigkeit zu einer Blockpartei wäre dann gesetzlich untersagt worden, für eine – oder besser zwei – Legislaturperioden zu einer Wahl in Bund, Ländern und Gemeinden zu kandidieren. So wäre vor allem demonstriert worden, daß politische Karrieren, die unter einer Diktatur begonnen haben, in einer Demokratie nicht unbeschadet weitergehen dürfen.

INS ABKLINGBECKEN FÜR DEUTSCHLAND!

Der *DDR* wäre die damit verbundene Runderneuerung ihrer politischen Klasse ebenso zu wünschen gewesen wie dem bisher wenig geforderten Westen ein vorgelebtes Beispiel aktiver Reeducation. Nicht allein die offensive Gegnerschaft zu den Prinzipien von Demokratie und Menschenrechten, sondern auch schon das passive Gewährenlassen eines autoritären Regimes, das lauwarme Unterstützen und besonders die eilfertige Unterwerfungsgeste unter die Alpha-Männchen müssen in einer selbstbewußten Demokratie sanktioniert werden. Die Novemberrevolution hätte am Ende in Deutschland auch die politische Moral reformiert.

MEHR REEDUCATION IN DEUTSCHLAND!

Die billige Ausrede, man habe nur der Karriere wegen mittun müssen, dürfte ebensowenig als Grund für einen Dispens vom Wahlausschluß gelten wie die hehre Variante, dadurch Schlimmeres verhütet haben zu wollen. Ersteres ist ja gerade das Kennzeichen von gefährlichem Mitläufertum, das zweite wird sehr viel häufiger angegeben, als daß es stets zutreffen könnte. Und selbst dort, wo der edle Zug im subjektiven Empfinden der Wahrheit entspricht, beinhaltete die mehrjährige Mitgliedschaft in einer Regimepartei das objektive Scheitern der ursprünglichen Motivation.

DO WORRY GYSI!

Diese für viele bittere Einsicht ist niemanden zu ersparen, kann wahrscheinlich aber sogar leichter ertragen werden, wenn sie nicht einzeln verarbeitet werden muß, sondern in der Form einer kollektiv erlebten, jedoch in der Wirkung recht milden und auch zeitlich terminierten Buße geschieht. Auch den anderen Bürgern und Opfern in der *DDR* wäre mit dem Wahlausschluß ein von vielen noch erwartetes Symbol gesetzt, als Zeichen einer wirklichen Umkehr statt einer nur raschen Wende. Ganz nebenbei würden noch die unvermeidlichen und nicht unverständlichen Rachegelüste vieler befriedigt, und nach dem Auslaufen der Maßnahme hätte einer ethisch ansprechenden Form allgemeiner Vergebung und Versöhnung nichts mehr im Wege gestanden.
Überlegungen zu dem Thema zeitweiliger Ausschluß bestimmter, schuldig gewordener Gruppen vom politischen

Leben wurden schon einmal angestellt, und zwar von den Stäben der USA-Administration gegen Ende des Krieges für das besetzte Deutschland. Damals ist diese Konsequenz sehr schnell zugunsten einer Eingliederung der Eliten des Westteils in die Fronten des kalten Krieges aufgegeben worden. Auch heute setzte sich das kurzfristige Interesse der Sieger durch. Aus wahltaktischen Gründen wurden von der Mehrheit der westlichen Parteien Bruderorganisationen zweifelhafter Vergangenheit adoptiert und mit kollektiven Persilscheinen versehen. Gemeint sind natürlich die ›Blockflöten‹ der *DDR*, die jetzt Unterschlupf unter dem Dach der westdeutschen CDU und FDP gefunden haben – ungeachtet zahlreicher bekanntgewordener Missetaten im Zusammenwirken mit der führenden Partei der Arbeiterklasse.
Nach dieser wundergleichen Exkulpation und zahlreichen bereits stattgefundenen Wahlgängen auf allen Ebenen sind gegenwärtig nur noch nachträgliche Korrekturen möglich, um Mitglieder der ehemaligen Führungseliten vom neuen Sprung in die öffentliche Sphäre abzuhalten. Immerhin stünde jedoch noch ein Weg offen, der durch das Negativbeispiel Bundesrepublik – in deren Parlamenten zunehmend der öffentliche Dienst unter sich vertreten ist – auch dringend angeraten scheint. Es wäre denkbar, in die demnächst neu zu formulierenden oder zu bestätigenden zahlreichen Verfassungen von *DDR*-Gebietskörperschaften die radikale Unvereinbarkeit von Amt und Mandat aufzunehmen.

AUF EWIG ZWIEGETEILT FÜR DEUTSCHLAND!

Wer in einem Parlament als Abgeordneter sitzt, also im Prinzip Vorgesetzter der Verwaltung ist, sollte prinzipiell nicht zugleich Angestellter oder demnächst auch gar wieder Beamter in einer Behörde sein dürfen. Im Konfliktfall

hätte er demnach eine der beiden Funktionen aufzugeben. Denn die zunehmende Tätigkeiten-Ausdehnung des Staates macht es in immer mehr Fragen unmöglich, die besonderen Interessen als Arbeitnehmer von den öffentlichen sauber getrennt zu halten, während zugleich die – nur Eingeweihten gänzlich verständlichen – Kommunikationsrituale von Verwaltungsstellen machtverfestigende Informationsvorsprünge gegenüber anderen Berufsgruppen in den Volksvertretungen sichern.
Mit einer strikten Separation würde zumindest der gröberen Versorgungsmentalität ein Riegel vorgeschoben, wäre die Nutzung der im Wählerauftrag in allgemeinen Belangen wahrgenommenen Funktionen zur privaten Positionsverbesserung weniger vielversprechend als der gleiche Arbeitsaufwand in einer direkt marktorientierten Tätigkeit. Und als Wähler könnten die Staatsdiener ja immer noch das pure Gewicht der großen Zahl einsetzen, um ihrem Lobbyismus wie dem aller anderen Gruppen auch das gebührende Gewicht zu verleihen. Am jetzt auch in der *DDR* geltenden Grundgesetz, das hier – wie so häufig – klüger scheint als heutige Realpolitik, würde eine solche Einschränkung jedenfalls nicht scheitern. Art. 137 besagt im ersten Absatz: »Die Wählbarkeit von Beamten, Angestellten des öffentlichen Dienstes, Berufssoldaten, freiwilligen Soldaten auf Zeit und Richtern im Bund, in den Ländern und den Gemeinden kann gesetzlich beschränkt werden.«

Feminisierung der deutschen Eliten

Absehbar ist, daß eine solche Regelung große Lücken in die gegenwärtigen parlamentarischen Vertretungen reißen würde. Ohne die Hoffnung auf eine sich auch im materiellen abzeichnenden Perspektive wird manchem der Dienst am Ganzen nicht mehr recht einsichtig sein. Dazu bedarf es nicht einmal eines solchen Selbstbewußtseins wie das des amtierenden *DDR*-Wohnungsbauministers Viehweger von der FDP, der auf eine Interviewfrage keck behauptet, wenn er nicht Minister wäre, würde er sicher jetzt nicht unter 8000-10000 DM im Monat verdienen. Ein solches Einkommen spräche zugunsten einer Konzentration auf eine freiberufliche Existenz. Die pure Zeit- und Energiebelastung lassen das in wirtschaftlich höchst prekären Zeiten für viele auf jeden Fall angeraten sein. Es entsteht also die Frage, von welcher Seite der Ersatz für die verwaisten Sitze kommen sollte.

ANDERS TEILEN FÜR DEUTSCHLAND!

Eine mögliche und die für die Entwicklung der *DDR* sinnfälligste Antwort wäre: von den Frauen. Denn diese dürften *erstens* demnächst über sehr viel mehr disponible Zeit verfügen, als ihnen lieb ist. Einiges davon in politische Beteiligung zu investieren, verhinderte, daß mühsam erworbene kommunikative Kompetenz durch längere Nicht-Nutzung ihren Wert auf dem Arbeitsmarkt verliert. Und es könnte sich am Ende für Madame auch ganz direkt persönlich lohnen. Denn schließlich ist *zweitens* mit dem Gremienwesen ein ›Networking‹ verbunden, welches wiederum für viele Tätigkeiten im Dienstleistungsbereich heute eine notwendige Erfolgsbedingung darstellt. Der Service-Sektor ist aber überall in der westlichen Welt die große Sphäre weiblicher Geschäftsgründungen, wie auch der am meisten wachsende Bereich der Wirtschaft überhaupt. Selbst die bisher so produktionsorientierte und in Tonnen denkende *DDR* wird nicht umhin kommen, diesen vorgezeichneten Weg in eine Dienstleistungs-Gesellschaft, der auch immer eine ›Feminisierung der Ökonomie‹ bedeutet, zu akzeptieren.

Sich frühzeitig eine Basis vielfältiger Kontakte zu verschaffen, kann sich für die Pionierinnen dabei als existenznotwendig erweisen. Erst recht gilt dies für eine Gesellschaft, in der der Markt noch rudimentär entwickelt ist und mancherlei Eigentums- und Blockierrechte in staatlicher Hand verblieben sind. Nicht zufällig haben Business Women in den USA sich erfolgreich in männliche Privatclubs hineingeklagt mit dem Argument, daß in solchen informellen Runden der Spitzen von Geschäftsleben und Verwaltung so viele rein wirtschaftliche Entscheidungen vorgeklärt werden, daß ein Ausschluß davon ihnen unbillige Konkurrenznachteile verschaffen würde. Rein politische Gremien mit ihren Seilschaften und gegenseitigen Abhängigkeiten sind ganz ähnlich abgeschottet aufgebaut wie solche Vereinigungen, und ebenso wird es auch hier stärkerer Mittel bedürfen, sich dazwischenzudrängen.

Drittens verfügen die Frauen in der *DDR* ohne Zweifel über die nötige Qualifikation für diese Tätigkeiten. Sie haben nicht nur in der beruflichen Ausbildung ein den Männern in etwa vergleichbares Leistungsprofil in der Verteilung von Schul- und Hochschuldiplomen. Auch ihre Beteiligung am bisherigen Delegationswesen konnte sich vor der Wende durchaus sehen lassen. Alle Vertretungen zusammengenommen waren von den knapp 210000 Sitzen von der Volkskammer bis zur Stadtbezirksversammlung gut 40% weiblich besetzt. Da sind wohl ausreichend Erfahrungen angefallen, auf die für das Neue Deutschland zurückgegriffen werden kann.

Und schließlich, *viertens*, hätten Frauen an viel mehr Entscheidungen der Parlamente ein vitaleres persönliches Interesse als Männer, was sich vielleicht in der Abwägung der gesellschaftlichen Folgen positiv bemerkbar machen könnte. Ob zum Beispiel eine Abwassergebühr oder eine Lokalsteuer zur Deckung des Haushalts zu erhöhen ist, mag ganz geschlechtsneutral von allen gleich unangenehm empfunden werden. Und wird entsprechend – obwohl selbst bei knappen Einkünften nicht gerade an erster Stelle der Bedeutungsskala angesiedelt – ungern beschlossen. Wenn aber etwa als Alternative ein Kinderhort zur Schließung ansteht, kann daraus für davon Tangierte eine so gravierende Verschlechterung ihrer Lebenssituation resultieren, daß trotz ihrer Minderheitsbetroffenheit die Maßnahme als nicht statthaft gilt – wenn sich die Legislative nur in solche Zwänge hineinversetzen kann.

Von selbst wird jedoch ein dauerhaft höherer weiblicher Anteil in den Volksvertretungen kaum erreicht werden. Die Zeichen deuten in die ganz andere Richtung. Vorbote dieses neuen Trends sind die Wahlen zur Volkskammer der *DDR* im März 1990. Von einem Drittel Anteil in der alten Kammer sind die von Frauen gehaltenen Sitze nach der Wende auf ein Fünftel geschrumpft. Damit haben die neuen und alten Parteien gleich im ersten Anlauf exakt das gegenwärtige bundesdeutsche Mittel aller parlamentarischen Instanzen getroffen. Hier zumindest ist die Einheit schon verwirklicht.

Die in Gründung befindlichen Gebietskörperschaften der *DDR* werden sich aber in den nächsten Jahren noch genügend häufig mit den etwas schnell gezimmerten Verfassungen und somit auch den länder- oder gemeindespezifischen Wahlverfahren herumschlagen dürfen, so daß dadurch erneut die Chance besteht, einmal zu einer etwas radikaleren gesetzlichen Regelung zu gelangen. Schließlich liegt, wie die Regierungen West und Ost nicht müde werden zu beteuern, die Hoffnung der *DDR* auf ihrem Humankapital, und das gehört zur Hälfte den Frauen. Wenn diese aber durch politische Oligopole am Marktzutritt mittels zu hoher ›Eintrittsbarrieren‹ gehindert werden, ist das ein Fall für die Diskussion einer neuen Wettbewerbsregelung, die mit Hilfe staatlicher Regelungen die faire Konkurrenz erst garantiert.

Am einfachsten schiene es, hier auf die gesetzliche Reservierung einer bestimmten Quote von Listenplätzen – günstigstenfalls 50% – für Frauen zu drängen. Allerdings setzte das eine Festlegung für ein Wahlrecht nach dem

Verhältnisprinzip voraus und der Verzicht auf Momente der Persönlichkeitswahl, wie zum Beispiel größerer Gewichtungsmöglichkeiten innerhalb der Listen. Vor allem jedoch würde damit das Recht der Parteien, ihre Kandidatenaufstellung ausschließlich nach ihren eigenen Kriterien zu gestalten, empfindlich beschränkt. Parteien sind freie Vereinigungen, denen unbedingt das Prärogativ belassen werden sollte, ihre politischen Vorstellungen auch personell nach eigenem Gusto zu gestalten und damit vor die Wähler zu treten.

Es mag den GRÜNEN in der Form einer parteiinternen Vereinbarung unter sich unbenommen bleiben, ein generelles Reißverschlußprinzip zwischen Männern und Frauen bei der Aufstellung von Kandidatenlisten sich anzuempfehlen. Aber wie die meisten löblichen Taten gewinnt diese ihren Wert gerade durch die Freiwilligkeit, durch die Abwesenheit von gesetzlichem Zwang. Schließlich sollte von Rechts wegen nicht einmal ausgeschlossen sein, reine Männer- oder reine Frauenlisten in das Rennen um Mandate zu schicken. Nicht alle Parteien wollen alle Interessen aller vertreten, sondern die Wahrnehmung spezieller Positionen besonderer Gruppen – und seien sie durch eine so luftige Kategorie wie ein gemeinsames Geschlecht definiert – ist auch ein mögliches legitimes Anliegen. Am gesammelten Unbehagen an einer von außen kommenden Beschränkung dieser prinzipiellen Gestaltungsfreiheit demokratischer Vereinigungen ist 1982 auch der Versuch der französischen Regierung gescheitert, in einem Gesetzesentwurf eine weibliche Repräsentanz von mindestens 25% bei den Gemeinderatswahlen den Parteien vorzuschreiben. Im selben Jahr kassierte in Paris der Staatsgerichtshof die Vorlage mit der Begründung, damit sei der Gleichheitsgrundsatz der Verfassung verletzt.

Diese Bedenken könnten jedoch umgangen werden, wenn statt der Festlegung einer Prozentbeteiligung die Definition der Wahlkreisabgrenzung geändert werden würde. Im Moment ist es allein ein geographisches Krite-

rium, das dazu herangezogen wird. Weil ich an einem bestimmten Ort meinen Wohnsitz habe, wähle ich dort meine Abgeordneten. Als Alternative wäre aber auch eine duale Bestimmung möglich: Seßhaftigkeit in einem bestimmten Gebiet plus Geschlecht. Am Beispiel der Bundestagswahlordnung – die sicher als letzte verändert werden könnte, aber dank ihrer Universalität für alle eine gleiche Erfahrung darstellt – läßt sich die mögliche Änderung exemplifizieren. Immer zwei benachbarte der jetzigen Wahlkreise werden zusammengelegt und wieder neu aufgeteilt. Alle Frauen, die hier wohnen, konstituieren einen eigenen Wahlkreis und alle Männer ebenso. Das Gebiet entsendet also wie vorher auch zwei Abgeordnete direkt in das Parlament.
Auch die Wählbarkeit setzt gewöhnlich voraus, daß die Kandidaten ihren Wohnsitz im Wahlkreis haben. Das bedeutet, daß in den weiblichen Bezirken nur Frauen zur Wahl stehen könnten und in den männlichen nur Männer. Und schließlich müssen noch die Parteimitglieder, die nach dem Wahlgesetz auf einer Mitgliederversammlung die Bewerber für ein Direktmandat zu küren haben, ebenfalls ihren Wohnsitz am Ort nachweisen. Komplett ist mit diesen drei Festlegungen die erste Stufe der Separierung: Frauen (beziehungsweise Männer) der politischen Gruppierungen stellen Kandidatinnen (Kandidaten) für die Wahl auf, unter denen von weiblichen (männlichen) Wahlberechtigten eine (einer) ausgewählt wird. Damit sind automatisch alle Direktmandate zur Hälfte quotiert.
Wichtiger sind in unserem Wahlsystem die Zweitstimmen. Logische Erweiterung und Vollendung einer dualen Wahlkreisabgrenzung wäre darum, die Landeslisten der Parteien und damit auch die 5%-Klausel – oder was immer gerade politisch als Hürde festgelegt wird – nicht mehr auf die Gesamtwählerschaft zu beziehen, sondern jeweils auf die beiden Subpopulationen Frauen beziehungsweise Männer lauten zu lassen. So als gäbe es zwei getrennte Bundestagswahlen würden die Mandate weiter

proportional nach den abgegebenen Stimmen an die Parteien vergeben, aber getrennt ausgezählt für die Geschlechter. Erst dadurch ist die Aufteilung wirklich perfekt und eine vollständige Symmetrie hergestellt: Wie auch immer entlang der Parteigrenzen gewählt werden würde, immer wären die Sitze genau zur Hälfte von den beiden Geschlechtern besetzt.

GEWALTIGE TEILUNG
DEUTSCHLANDS!

Eine kleine Verzichtsleitung ist auch darin enthalten. Mit einer solchen Regelung hätte die weibliche Bevölkerung ihrer absoluten Mehrheit an Wählerstimmen entsagt, die durch ihre höhere Lebenserwartung zusammenkommt, und sich stattdessen zugunsten einer vollen Repräsentanz auf genau die Hälfte des maximalen politischen Einflusses beschränkt. Dafür müßten sich Frauen aber weder im Wahlkampf noch in der davorliegenden Kür ihrer Parteien ihnen angeblich fremd anmutenden Auseinandersetzungsformen aussetzen. Erler spricht die heute weit verbreitete Vermutung aus, »daß in gemischten, nach Geschlechtern gemischten politischen Organisationen Frauen ihre Persönlichkeit und intellektuellen Kräfte stets nur begrenzt entfalten bzw. daß nur wenige Frauen die inneren Hürden überspringen, die sich für sie aus dem ständigen Umgang mit einer anderen politischen Herangehensweise ergeben«.
Da alle Parteien durch eine solche Wahlveränderung plötzlich mit semi-autonomen Flügeln von Männern und Frauen konfrontiert wären, wären überraschende Einsichten und Veränderungen zu erwarten, die weit über die ökonomische Dimension hinausragten. So haben etwa Wählerinnen in der Bundesrepublik eine klar höhere Priorität für Fragen des Umweltschutzes, die sich bisher aber aufgrund ihrer mangelnden Präsenz in den

Exekutivzirkeln der Parteien nicht in gleicher Weise in Politikangebote und Politikgestaltung durchsetzte. Und da die ökologische Sanierung auch in der *DDR* demnächst heftig mit der Arbeitsplatzfrage in vordergründige Konflikte geraten wird, ist eine angemessene Berücksichtigung dieser Interessen nur wünschenswert.
Oder, wenn wieder die nationale Ebene als Spiel-Beispiel dienen dürfte: CDU/CSU müßten sich rasch etwas in der Abtreibungsfrage einfallen lassen, wenn sie mit einem die 50% noch übersteigenden Anteil ihrer weiblichen Abgeordneten in der Fraktion zurechtzukommen hätten. Denn die Christdemokraten sind – trotz der wieder niedrigsten Quoten an weiblichen Mitgliedern – die einzigen der in der Bundesrepublik etablierten Parteien, die noch eine meßbar stärkere Attraktion für Wählerinnen im Vergleich zu den Wählern aufweisen. Bei Bundestagswahlen nach dem neuen Modus hätten die Parlamentarierinnen der CDU/CSU endlich eine sichere Mehrheit.
Dafür bleibt die autoritäre Rechte bei den Frauen draußen, nur ein Drittel der Wähler von Republikanern und DVU sind weiblich. Nach den Erfahrungen von Europa- und zahlreichen Landtagswahlen stellt Hofmann-Göttig fest: »Bei keiner anderen Partei sind die Unterschiede im Wahlverhalten bei Männern und Frauen ausgeprägter. Kaum ein struktureller Befund bezüglich der Wählerbasis der Neuen Rechten erweist sich als vergleichbar eindeutig: Die Neue Rechte besteht aus Männerparteien.«
Das ist eine vor dem Hintergrund des in der *DDR* demnächst zu erwartenden Rechtsrucks aufgrund hochenttäuschter Erwartungen und wenig Übung in Menschenrechtsfragen eine eingebaute Sicherung gegen naheliegende Versuchungen der Allianzparteien. Denn allzuviel Prinzipienfestigkeit haben die Parteien der Regierungskoalition de Maizières bisher nicht erkennen lassen, dafür aber jede Menge Wahltaktik. Mögliche Tolerierungen, Annäherungen und Bündnisangebote an rechtsextreme Organisationen scheinen da in Zukunft nicht ausgeschlossen. Eine gesicherte weibliche Repräsentanz in den

Parlamenten mit einer lagerübergreifenden Abneigung gegenüber autoritären Gruppen könnte solche Männerbündelei vielleicht verhindern.

Medienselbsterfahrungsgruppen

Nicht nur die Eliten – ob männlich, ob weiblich – haben sich in der *DDR* dem innovativen Wandel des Westens anzupassen. Der innere Umdenkprozeß als Einstellung auf eine Welt in ständiger ›schöpferischer Zerstörung‹ muß möglichst viele im erwerbsfähigen Alter erreichen. Andernfalls besteht die Gefahr, daß die Bevölkerung der *DDR* sich verstärkt aufteilen wird in eine nur noch konsumistisch interessierte Mehrheit, eine kleinere heimische Führungsschicht in den Verwaltungsstäben, die zu einem großen Teil mit den althergebrachten Kadern identisch ist und einer dünnen importierten Gruppe ökonomischer Manager, die als Kapitalverweser von den Westkonzernen entsandt wurden. Damit ist vielleicht ein kleinlicher Staat, aber keine großartige Marktwirtschaft zu machen.

Eine dauerhafte Lösung bieten umfassende Qualifikationsprozesse, behaupten Berufene. Meist ist aber der Rahmen dessen, was darunter verstanden wird, etwas eng gefaßt. Nicht allein um berufsbezogene Fähigkeiten kann es dabei gehen, sondern – um ein altes Schlagwort aufzugreifen – darum das Lernen erneut zu lernen. Das ist zwar am schwierigsten beizubringen, ergibt sich dann aber mit einiger Chance, wenn ein langfristiges und entsagungsvolles abstraktes Ziel mit einem kurzfristigen direkten Vorteil und einer für viele Anwendungen offenen Situation verbunden werden kann.

Sinnvoll ist dabei nicht immer die zur Zeit einseitig bevorzugte betriebliche Organisation von Bildungsmaß-

nahmen. Wenn die Arbeitslosigkeit hoch ist und das Ziel, wofür denn aus- und umgebildet werden soll, reichlich unspezifisch, hat auch eine Verankerung am Wohnort, inklusive einer thematisch offenen Ausweitung des Angebots, Erfolgschancen. Und verhilft so den gezwungen Erwerbsuntätigen dazu, im Zusammenwirken mit Gleichbetroffenen ihrer Depravation besser zu begegnen – besonders wenn Kommunikationstechniken und solche der Informationsverarbeitung mit auf dem Programm stehen.
Positive Erfahrungen darin gibt es ausreichend. Fast jedes größere dänische Dorf besitzt etwa ein kleines Computerzentrum mit freiem Zugang für alle in einem öffentlichen Gebäude. Für nur eine halbe Milliarde Mark könnte man soviel Personal Computer samt ausreichend Drukkern und kommerziell wie privat nutzbarer Software im Lande verteilen, daß statistisch etwa auf hundert *DDR*-Bürger immer ein Gerät käme. Und an Betreuern für die Bit-Eleven hätte es sicher keinen Mangel. Ehemalige Mitarbeiter aus den weit überbesetzten östlichen Forschungs- und Bildungsinstitutionen, die mit einigen Schnellkursen vorbereitet und nachgeschult werden könnten, würden sich um diese Chance einer zweiten Zukunft reißen, nicht anders als auch arbeitslose Pädagogen und Sozialwissenschaftler im Westen in den vergangenen Jahren in ähnliche Tätigkeiten strömten.

GANZ DEUTSCHLAND KOMPATIBEL MACHEN!

Eine ebenfalls nutzbare Lücke ist durch die in der *DDR* sehr niedrige Dichte in der Versorgung mit Videorecordern gegeben. Ganze 5% der Haushalte waren bei der letzten Zählung damit ausgestattet, ein Achtel des westdeutschen Vergleichswerts. Es spricht einiges dafür, die Anschaffung, das Leasing oder den Mietkauf eines sol-

chen begehrten Gerätes zu subventionieren, wenn damit gleichzeitig die nachweislich erfolgreiche Belegung von Fernkursen auf der Basis von Video-Lieferungen einhergeht.
Das ergäbe zumindest eine Erste-Hilfe-Aktion im sehr brachliegenden Bildungs-Segment. Denn der vermutete Bedarf an Qualifikationsmaßnahmen in der *DDR* kann noch lange nicht von dem zur Zeit bestehenden Angebot gedeckt werden, während bewährte Formen des Selbstunterrichts mit unerheblichen Mehrkosten schnell vervielfacht werden können. In der DDR waren außerdem Fernkurse auch auf hoher Anforderungs-Ebene schon immer recht populär und staatlich gefördert. Etwa 70 000 der 290 000 Studierenden an Fachschulen und wissenschaftlichen Hochschulen betrieben ein Fernstudium. In der Bundesrepublik sind das nur 25 000 von 1,47 Millionen Eingeschriebenen aller Universitäten und Fachhochschulen.
Den Benutzer freut die Unterstützung des Staates nicht nur während seiner Bildungsbeflissenheit, sondern natürlich besonders dann, wenn er dem schönen neuen Gerät nach dem Durcharbeiten des Französischkurses auch noch die bewegten Szenen von ›French Loving‹ entnehmen kann. Diese Kombination konstitutiert wohl erst das Anreizsystem der neuen Medien. Schon die – sehr erfolgreiche – Strategie der Vermarktung der ›Minitels‹ in Frankreich beruhte einmal darauf, daß die Anfangsausstattung kostenlos war, aber auch, daß bei der Zulassung der Service-Anbieter dem Unterleib ein Einzug in das moderne Kabelnetz nicht verwehrt wurde: »High-tech – high-touch« nennen amerikanische Medienspezialisten diese putzige Verbindung.

Trotzdem muß die Videoisierung der *DDR* nicht allein passiv verstanden und betrieben werden. Vorstellbar sind auch zum Beispiel kleine Studios mit wenigen Festangestellten, aber vielen freien Mitarbeitern, die – im ganzen Land verteilt – alle paar Tage preiswerte Nahseh-Zeitungen für das lokale Umfeld auf Kassette produzieren. Durch den Aufbau einer solchen mittleren, technisch wenig anspruchsvollen Ebene der Informationsverbreitung wird die bedenkliche Alternative umgangen, *entweder* vergangenheitsbelastete Journalisten auf den Seiten der lokalen Printmedien ertragen zu müssen *oder* sich auf die demnächst von Westmachern dominierten nationalen Fernsehkanäle zu verlassen. Und billiger, wie besser geeignet für den Einstieg journalistischer Newcomer, als die Errichtung zahlreicher Lokalsender kommt es sicher auch noch.

Finanziert werden könnte solch ein Netzwerk lokaler Video-Nachrichten sogar medienintern und analog einem Verfahren, wie es in Großbritannien bei der Einrichtung des nicht kommerziell ausgerichteten ›Channel Four‹ ausgedacht wurde. Die Idee ist einfach: Sollen doch die Privatsender mit den vielen Werbeeinnahmen, die wahrnehmbar das Qualitäts-Niveau des bisherigen Fernsehens unterbieten, einen Teil ihrer reichlich fließenden Revenuen abgeben für eine Institution mit dem Auftrag gehaltvoller Programmgestaltung. Angesichts der jetzt hastig freigeräumten terrestrischen Frequenzen und Satellitenkanäle für die Ausdehnung von möglichst vielen Kommerzsendern auf *DDR*-Gebiet scheint das ein Gedanke zum Aufgreifen.

Elektronisches Dorf Deutschland

Ein ausgebautes Video-Kassetten-System mit lokalen Stützpunkten und preiswerten Bibliotheken an audio-visuellen Lernprogrammen könnte sogar nur das Vorspiel zu weit größerer Kommunikationslust sein. Das wirkliche Zukunftspotential der elektronischen Medien liegt in der Breitbandverkabelung. Hier läßt sich in der *DDR* von einer Tabularasa-Situation ausgehen, wie sie für Kommunikationsplaner kaum schöner vorliegen kann. Da technischer Standard und Verbreitungsgrad des Datenübertragungsnetzes – heute noch vom üblichen Alltagsbenutzer Telefonleitung genannt – so miserabel sind, daß sich Reparaturen kaum mehr lohnen, kann von Grund auf erneuert werden, wobei die wohlhabende westdeutsche Post den Geldgeber spielt.

Schon die Zahl der Telefongespräche pro Einwohner beträgt im Osten Deutschlands nämlich nur gut ein Viertel der in der Bundesrepublik üblichen Größe. Und die Ausstattung der privaten Haushalte mit einem eigenen Apparat zeigt einen viel größeren Abstand zwischen den beiden Staaten als etwa das oft für Wohlstandsvergleiche herangezogene Beispiel des eigenen Autos. Denn dort sind die Verhältnisse schon erstaunlich angeglichen. Während in der Bundesrepublik 68% aller Haushalte einen Wagen besitzen, waren es in der *DDR* vor der Währungsunion immerhin auch schon 52%. Aber obwohl der Telefonanschluß auf der Prioritätenliste individueller Bequemlichkeit immer ganz oben zu finden ist, sind in der *DDR* nur etwa eine von je sieben Wohnungen damit versorgt, in der Bundesrepublik dagegen praktisch alle.

Es muß also hier sehr bald und mit einigem finanziellen Aufwand etwas geschehen. Schon allein aus dem Grund, weil auch die Geschäftswelt heftigst darauf drängt, die sich durch die Abwesenheit eines funktionierenden Telefonnetzes ebenso in ihrem Elan gehemmt fühlt wie durch das Fehlen eindeutiger Grundbucheintragungen. Und da, um den neuen Ansturm zu bewältigen, sowohl Leitungen wie Vermittlungsknotenpunkte ersetzt werden müssen, kann gleich eine avancierte Glasfaserstruktur die Technik der Wahl sein. Die schöne – und berechtigterweise schon lange nicht mehr in der *DDR* geäußerte – ursprüngliche Zielformulierung für den Einigungsprozeß ›Überholen ohne Einzuholen‹, bei der Verkabelung des Landes macht sie durchaus Sinn.

Denn ein Glasfasernetz ist fähig, das vielfache der in den Kupferkabeln der Bundesrepublik möglichen Datenmengen zu transportieren. Nach Angaben von Brand wurden schon Ende der achtziger Jahre in den Bell-Labors bei optischen Leitern Übertragungsgeschwindigkeiten von schwindelerregenden 500 Millionen Bits pro Sekunde erreicht, x-fach mehr als genug, um mit nur einem Anschluß zur gleichen Zeit zu telefonieren, Fernsehübertragungen zu empfangen und mit einem Computer Datenbanken zu durchforsten. Zum Vergleich: ein PC mit einem Modem empfängt heute über eine Fernleitung zumeist gerade 1200 Bits/Sekunde.

TELECOMMUNION FÜR DEUTSCHLAND!

Bei diesen Datenmengen kann das Medium Fernsehen eine Mutation vollziehen, die mit der rein quantitativen Ausdehnung des Programmangebots auf einfach noch mehr Sender mit noch mehr Angebotsstunden nichts mehr gemein hat. Eine lineare Erweiterung allein wäre kaum etwas besonderes und ist jetzt schon mit der bekannten Technik von Satelliten bis in Dimensionen hinein organisierbar, die bereits an die Grenzen der Aufnahmefähigkeit eines Standard-Konsumenten stoßen. Heute strahlen zum Beispiel im Norden der USA gut dreißig Satelliten über hundert TV-Programme ab, ein Angebot, in dem allein mehr als vierhundert Kinofilme pro Woche enthalten sind. Selbst wenn etliche dieser Kanäle auf

recht spezielle Kundenkreise zielen – das sorgfältige Studieren einer umfassenden Auflistung der für viele interessanten Programme wird so zeitaufwendig, daß dieses weitgehend schon anstatt des erstrebten Fernsehgenusses stattfinden müßte.
Die exzessive Nutzung der Fernbedienung ist eine ebenso logische Folge dieses paradox scheinenden Dilemmas wie der mittlerweile häufig anzutreffende Verzicht auf jede Art von Vorabinformation. Der Apparat wird auf Verdacht eingeschaltet und auf gerade laufende, möglicherweise interessante Sendungen durchforstet. Es findet keine selektive Nutzung mehr statt, sondern reine Anpassung an den ewig fließenden Kommunikationsstrom. Den mit entsprechenden Empfangsmöglichkeiten ausgestatteten Benutzern geht es wie der Landessprache nicht mächtigen Gästen in einem ausländischen Spezialitäten-Restaurant: Bevorzugt und mit höherer Qualität gleichgesetzt wird immer ein großes Angebot – aber je umfangreicher die Karte ist, desto weniger neigt man noch dazu, Beratung und Übersetzungsversuche über Gebühr zu strapazieren, sondern bestellt stattdessen vertraute oder manchmal auch einfach beliebige Gerichte.
Eine Television via Glasfaser könnte dagegen etwas ganz anderes darstellen und mehr einem privaten Drei-Sterne-Koch ähneln, mit dem ständig das Menü aktuell abgesprochen werden kann. Denn mit der neuen Technik wird es zum erstenmal möglich sein, an ein individuell zusammenstellbares Fernsehen zu denken. Der Dimensionsunterschied an damit erreichbarer Wahlfreiheit verhielte sich dabei etwa wie die Zahl der an einem Kiosk erhältlichen Tageszeitungen zu der der Bücher in einer Bibliothek. Ob das nun die Menge einer kleinstädtischen Leihbücherei betrifft, oder die der ›Library of Congreß‹ ist keine Frage der Übertragungsmöglichkeiten sondern der Speichertechnik. Videomaterial enthält erstaunlich viele Informationen und ist damit speicherintensiv. Man kann etwa auf einer normalen CD-Platte den Text einiger Dutzend Lexika unterbringen, aber bei darauf befindli-

chen Filmen muß man noch in Minuten statt in Stunden rechnen. Bei vielen Benutzern und großen Beständen wären auch Bandgeräte viel zu langsam. Aber es werden immerhin heute schon sogenannte Laser-Disks für diesen Zweck kommerziell eingesetzt, die – ähnlich einer Festplatte oder einer CD-Scheibe – den Zugriff auf einen auch längeren Film in sehr kurzer Zeit erlauben.
Der Unterschied zwischen einem Fernsehen à la carte und dem heutigen medialen Stammessen läßt sich leicht imaginieren. Nehmen wir eine typische Situation der ultimativen Fernsehgier: man kommt abends nach einem langen Arbeitstag nach Hause oder ist mit einem Gipsbein ans Bett gefesselt oder vielleicht ist es auch nur ein regnerischer Sonntagnachmittag im November. Anstatt wie heute mit der einen Hand zur Fernbedienung und mit der anderen zur Programmzeitschrift greifend, habe ich stattdessen ein Bedienungsgerät vor mir, das eher an das Keyboard eines Computers erinnert. Beim Einschalten erscheinen auf dem Bildschirm in Menüform die Möglichkeiten.
Im Idealfall, wenn auch die Speicherprobleme gelöst sind, enthält die Fernseh-Datenbank zu jedem Zeitpunkt alle jemals produzierten Programme, und jedes kann einzeln aufgerufen werden. Ähnlich wie in einem Bibliotheks-Zugriffssystem blättere ich in diversen alphabetischen, chronologischen und thematischen Katalogen. Ich könnte mich also etwa daran erinnern, daß die dritte Folge von ›Familie Hesselbach‹ auch beim sechsten Sehen noch immer das Gemüt aufzuhellen verspricht, oder nachschauen, ob es noch andere Filme der Hauptdarstellerin in ›African Queen‹ gibt, die mir bisher entgangen sind. Will ich mich vielleicht demnächst in eine Gegend begeben, die mir bisher recht unbekannt ist, frage ich nach neueren Berichten darüber, sei es in einer politischen Magazinsendung oder als simplen Reisebericht. Vielleicht erübrigt sich danach sogar die persönliche Inaugenscheinnahme, ein unter ökologischen Gesichtspunkten höchst angenehmer Zusatzeffekt.

KEINE MEDIENOLIGARCHIE MEHR IN DEUTSCHLAND!

Von den öffentlich-rechtlichen Nachrichtenredaktionen und ihren lizensierten Konkurrenten muß ich mich auch nicht mehr allein mit Nachrichten und Meinungen traktieren lassen. Jede beliebige Institution kann eigene Sendungen produzieren und in das Netz einspeisen lassen: Die Wirtschaftsneuigkeiten von tv-taz abrufen und die über Kultur vom Frankfurter Allgemeinen Fernsehen, oder doch lieber umgekehrt? Kommunikationsökologen von der betulicheren Sorte wird vielleicht bei solchen Aussichten schwindelig. Sie übertragen etwas voreilig das altehrwürdige – und im Bereich der materiellen Güter zu berechtigt neuen ökologischen Ehren gekommene – Erhardsche ›Maßhalten‹ auch auf die Sphäre der Informationen. Aber als Alternative zu dem überaus anarchischen Angebot vieler verschiedener Sendungen zahlreicher Produzenten ist nur das Oligopol weniger medialer Mega-Corps denkbar – ob staatlich oder privat organisiert.

Selbstverständlich darf es keinerlei Zensur in einer solchen Kabelwelt geben. Das ›Recht auf informelle Selbstbestimmung‹, wie es durch das Bundesverfassungsgericht im Volkszählungsurteil bestätigt wurde, müßte strafbewehrten Verfassungsrang erhalten. Welche Sendungen wer zu welcher Zeit sich zu Gemüte führt, kann per definitionem der Gesellschaft nicht gefährlich sein, und diese Information hätte für jeden Zugriff staatlicher Stellen für tabu zu gelten. Aufgrund der Monopolstellung der Netzbetreiber müßten alle Sendungen gleich welchen Inhalts zugelassen werden: manche davon allerdings vielleicht nur mit allein an Erwachsene abgegebenen und regelmäßig zu ändernden Codenummern zu ordern.

Auch eine indirekte wirtschaftliche Zensur müßte ausgeschlossen werden. Die Produzenten hätten an die Telecom, oder wer immer als Datenbankbetreiber aufträte, eine kostendeckende Grundgebühr für die Zugriffsmöglichkeiten auf die Sendung zu zahlen und die Konsumenten an die Produzenten wieder ein Nutzungsentgelt für jede empfangene Zeiteinheit. Fernsehwerbung, wie wir sie heute kennen, wäre weiter möglich. Aber wie ein rückwärts laufender Gebührenzähler senkte die Bereitschaft zum Empfang einer bestimmten Zahl von Werbeminuten pro übertragener Sendung einfach die sonst anfallenden Nutzungsgebühren – gleich welche Sendungen davon unterbrochen würden.

Während die anderen medien-modernistischen Gesellschaften wie die USA, Japan, Italien oder Brasilien noch auf die Berieselung der Zuschauer setzen, könnte ausgerechnet die elektronisch bisher völlig unterversorgte *DDR* bereits erste Erfahrungen mit dem aktiven Fernsehen der Zukunft machen. Unterstellt, daß eine Strukturpolitik mit langem Atem hier ihren Schwerpunkt setzt, werden dabei technisch ganz neue Qualifikationen ausgebildet: in der Herstellung und Verlegung von Glasfasern, dem Design von Echtzeit-Anwählsystemen, der automatisierten Verwaltung umfassender Informationsnetzwerke.

Neue Wege müssen auch in der Programmstrukturierung beschritten werden. Denn natürlich will niemand die dauernde Mühe auf sich nehmen, zur Befriedigung der Fernsehlust immer wieder in endlosen Katalogen blättern zu müssen. Es wird also Expertensysteme geben, die das Auswahlverfahren der Sendungen wieder erleichtern und zu einem ganz eigenen Erlebnis machen. Fernsehmagazine sind da denkbar, die über neue interessante Sendungen in der Weise informieren wie heute das Feuilleton über literarische Neuerscheinungen, oder Fernsehillustrierte, die ein Häppchen Serie, ein wenig Information, einen neuen Film für eine gelungene Feierabendpackung zusammenmischen.

Lernen, lernen, lernen (Lenin)

Solche Tele-Visionen mögen heute noch wie anarchokapitalistische Zukunftsmusik anmuten, höchst unpassend für die Überlebensperspektive eines preussischen Arbeiter- und Bauernlandes. Aber auch die Phantasie-Welten von Hollywood sind in den kargen Sandboden einer verschlafenen Kleinstadt errichtet worden und nicht in den damaligen Metropolen der Ostküste und der großen Seen. Heute tragen die Medien-Exporte mehr zur Entlastung der amerikanischen Handelsbilanz bei als der Automobilbau.

Die Vorschläge dieses Kapitels gehen von ganz einfachen Prämissen aus. Die *DDR* braucht für eine Auferstehung aus den Ruinen des staatssozialistischen Industrialismus dreierlei: Ein innovatives Unternehmertum, kommunikative Kompetenz für den demokratischen Neuanfang und eine positive Rückkoppelung zwischen Bildungssystem und einem zukunftgerichteten Investitionsgütersektor. Wenn es der *DDR* nicht gelingt, den marktwirtschaftlichen und den demokratischen Schock innovativ und unorthodox zu verarbeiten, dann werden Arbeitskräfte und Kapital in der Tat versanden.

Künftig wird wohl gelten, daß die Produktionsstätten sich um die Labors und Forschungsinstitute gruppieren und nicht umgekehrt. Wer in dem sicheren Zukunftsmarkt der auf souveräne Konsumenten orientierten Informationsverarbeitung rechtzeitig seine praktischen Schritte macht, kann auf jeden Fall der weltweiten ökonomischen Konkurrenz der Jahrtausendwende weit gefaßter entgegensehen, als der, der nur altmodische Mechanikprodukte wie Daimler-Limousinen und Düsentriebwerke produziert. Um ein letztes Mal Friedrich List zu Wort kommen zu lassen: »Die geistige Arbeit aber ist in der Gesellschaftsökonomie, was die Seele im Körper.«

Literatur

Adamsen, Heiner, *Investitionshilfe für die Ruhr. Wiederaufbau, Verbände und Soziale Marktwirtschaft 1948-1952*, Wuppertal 1981

Becker, Uwe, Frauenerwerbstätigkeit – eine vergleichende Bestandsaufnahme in: *Aus Politik und Zeitgeschichte*, 7. Juli 1989

Belwe, Katharina, Schichtarbeit in der *DDR* in: *Deutschlandarchiv* 11/1989

Biedenkopf, Kurt; Miegel, Meinhard, *Investieren in Deutschland*, Landsberg am Lech 1989

Brand, Stewart, *Medialab. Computer, Kommunikation und neue Medien – die Erfindung der Zukunft am MIT*, Reinbek 1990

Bundesminister der Finanzen, Deutsche Einheit: Unsere Finanzpolitik bleibt auf solidem und berechenbarem Kurs, *Presseerklärung* vom 18. 5. 1990

Bundesminister der Finanzen (Hrsg.), Die wichtigsten Steuern im internationalen Vergleich, *Informationsdienst zur Finanzpolitik des Auslands* Nr. 1, 1989

Bundesverfassungsgericht, Entscheidungen, Karlsruhe, div. Bände

Deutsche Bundesbank, *Jahresabschlüsse der Unternehmen in der Bundesrepublik Deutschland 1965 bis 1981*, Sonderdruck Nr. 5 (3. Aufl.), Frankfurt, 1983

Deutsche Bundesbank, *Monatsberichte*, Frankfurt, div. Monate, div. Jahre

Deutsche Bundesbank, *Verhältniszahlen aus den Jahresabschlüssen der Unternehmen in der Bundesrepublik Deutschland für 1986*, Sonderdruck Nr. 6 (3. Aufl.), Frankfurt 1989

Deutsches Institut für Wirtschaftsforschung, Erwerbstätigkeit und Einkommen von Frauen in der *DDR* in: *Wochenbericht* 19/90

Deutsches Institut für Wirtschaftsforschung, Tendenzen der Wirtschaftsentwicklung 1990/91 in: *Wochenbericht* 26/90

Die Zukunft der DDR-Wirtschaft, Reinbek b. Hamburg 1990

Erler, Gisela Anna, *Frauenzimmer. Für eine Politik des Unterschieds*, Berlin 1985

Fischer, Benno, *DDR*-Rechtsextremismus als Vorbote der Systemkrise in: *Die Neue Gesellschaft/Frankfurter Hefte*, April 1990

Görgens, Hartmut, Gewinnexplosion seit 1983 in: *WSI-Mitteilungen* 3/1990

Grözinger, Gerd, Halbe Sachen in: *Kommune* 12/1985

Grözinger, Gerd, Sabbatical. Ein Vorschlag, die gleitende Arbeitslosigkeit einzuführen, in: *Freibeuter* 34, 1987

Grözinger, Gerd, Vom Primat und vom Primatentum der Politik in: Arthur Heinrich; Klaus Naumann (Hrsg.), *Alles Banane – Ausblicke auf das endgültige Deutschland*, Köln 1990

Hickel, Rudolf, *Ein neuer Typ der Akkumulation?* Hamburg 1987

Hickel, Rudolf, Grauzonen der Besteuerung in: *Blätter für deutsche und internationale Politik* 7/1989

Hofman-Göttig, Joachim, Die neue Rechte: die Männerparteien in: *Aus Politik und Zeitgeschichte*, 6. 10. 1989

Institut der deutschen Wirtschaft, Kein Nullsummenspiel in: *Informationsdienst* 26/1990

Institut für Internationale Politik und Wirtschaft, *Die marktwirtschaftliche Integration der DDR*, Berlin (*DDR*), April 1990

Institut für ökologische Wirtschaftsforschung, *Umweltreport DDR*, Frankfurt 1990

Jung, Matthias, Parteiensystem und Wahlen in der *DDR*. Eine Analyse der Volkskammerwahl vom 18. März 1990 und der Kommunalwahlen vom 6. Mai 1990 in: *Aus Politik und Zeitgeschichte*, 29. 6. 1990

Keynes, John Maynard, *Das Ende des Laissez-faire*, München 1926

List, Friedrich, *Schriften/Reden/Briefe*, Nachdruck: Aalen 1971

Meidner, Rudolf; Hedborg, Anna, *Modell Schweden – Erfahrungen einer Wohlfahrtsgesellschaft*, Frankfurt 1985

Mertens, Dieter, Befragungen von Arbeitnehmern über Formen der Arbeitszeitverkürzung in: Thomas Kutsch; Vilmar, Fritz (Hrsg.), *Arbeitszeitverkürzung*, Opladen 1983

Nickel, Hildegard Maria, Frauen in der *DDR* in: *Aus Politik und Zeitgeschichte*, 13. 4. 1990

Piore, Michael J.; Sabel, Charles F., *Das Ende der Massenpro-*

duktion. Studie über die Requalifizierung der Arbeit und über die Rückkehr der Ökonomie in die Gesellschaft, Frankfurt/M. 1989

Presse- und Informationsamt der Bundesregierung, *Vertrag über die Schaffung einer Währungs-, Wirtschafts- und Sozialunion*, Bonn 18. 5. 1990

Prinzessin zu Schoenaich-Carolatz, Alexandra-Friederike, Arbeitszeit – nach wie vor zu kurz und unflexibel, *Der Arbeitgeber*, Sonderausgabe März 1990

Rheinisch-Westfälisches Institut für Wirtschaftsforschung, *Sonderheft ›DDR-Wirtschaft‹*, RWI-Mitteilungen 1/2, 1990

Rinderspacher, Jürgen P., *Gesellschaft ohne Zeit. Individuelle Zeitverwendung und soziale Organisation*, Frankfurt 1985

Sachverständigenrat zur Begutachtung der gesamtwirtschaftlichen Entwicklung, *Jahresgutachten*, div. Jahre

Seidel, Bernhard; Franzmeyer, Fritz; Volz, Joachim; Teichmann, Dieter, Die Besteuerung der Unternehmensgewinne – sieben Industrieländer im Vergleich, Deutsches Institut für Wirtschaftsforschung, *Beiträge zur Strukturforschung* 111, Berlin 1989

Seifert, Hartmut, Arbeitszeitpolitische Kontroversen in: Kutsch, Thomas; Vilmar, Fritz (Hrsg.), *Arbeitszeitverkürzung*, Opladen 1983

Seifert, Hartmut, Zur Diskussion um Arbeitszeitverkürzung, Fachkräftemangel und Wachstumseinbußen in: *WSI-Mitteilungen* 3/1990

Statistisches Bundesamt (Hrsg.), *Statistisches Jahrbuch 1989*, Wiesbaden 1989

Statistisches Jahrbuch der Deutschen Demokratischen Republik 1989, Berlin 1989

Taylor, John, The Swedish Investment Fonds System as a Stabilization Policy, in: *Brookings Papers on Economic Activity*, 1982

Tiepelmann, Klaus; Dick, Günther, Kleine Kapitalertragssteuer – ungeahnte QUELLE(N) STEUERpolitischer Diskussion in: *WSI-Mitteilungen* 2/1989

Tofaute, Hartmut, Anmerkungen zur Neuregelung der Besteuerung von Zuschlägen von Sonntags-, Feiertags- und Nachtarbeit in: *Soziale Sicherheit* 7/1988

Trautwein, Hans-Michael, Zur Entschärfung tarifpolitischer Verteilungskonflikte durch kollektive Kapitalbeteiligung. Das

Beispiel der schwedischen Arbeitnehmerfonds in: *Jahrbuch für Nationalökonomie und Statistik 1988*

Welzk, Stefan, *Boom ohne Arbeitsplätze*, Köln 1986

Wewer, Göttrik (Hrsg.), *DDR – von der friedlichen Revolution zur deutschen Vereinigung*, Opladen 1990

Wirtschafts- und Sozialwissenschaftliches Institut, Schwerpunktheft: *DDR*-BRD-Perspektiven, *Mitteilungen* 5/1990

Zwölfter Subventionsbericht, Drucksache des deutschen Bundestags 11/5116, Bonn 1989

Über den Autor

Gerd Grözinger, geboren 1953 in Bad Schwalbach, studierter Soziologe und Nationalökonom, arbeitete als wissenschaftlicher Mitarbeiter an der TH Darmstadt und ist zur Zeit Studienleiter der Evangelischen Akademie Bad Boll.

Er berechnete u. a. für die GRÜNEN die Finanzierungsgrundlagen eines garantierten Grundeinkommens, veröffentlichte ein Input-Output-Modell für die BRD (*Konkurrenzpreise und Arbeitswerte*, Marburg 1989) und schrieb zahlreiche Beiträge in Zeitschriften und Sammelwerken.